D1233319

Biblioteca Eduardo Galeano

EDUARDO GALEANO

LOS HIJOS
DE LOS DÍAS

SIGLO XXI
ESPAÑA

SIGLO XXI ESPAÑA

Diseño de portada: Peter Tjebbes
Ilustración de portada: Coco Cano
Ilustraciones de interiores: *Collages* de Eduardo Galeano

© Eduardo Galeano, 2012

© Siglo XXI de España Editores, S. A., 2012

Sector Foresta, 1
28760 Tres Cantos
Madrid - España

Tel.: 918 061 996
Fax: 918 044 028

www.sigloxxieditores.com

ISBN: 978-84-323-1627-2
Depósito legal: M-9.504-2012

Impreso en: Rotocayfo, S. L.
Sant Vicenç dels Horts (Barcelona)

Gratitudes

No puedo agradecer a todos los amigos que hicieron posible este libro, ni a los autores de las muchas obras que consulté. Los amigos y los autores no llenarían un estadio, pero casi.

Eso sí: no puedo dejar de dedicar el resultado a quienes tuvieron la paciencia de leer y opinar las primeras versiones, que querían ser últimas y eran siempre penúltimas, porque siempre había algo que corregir o cambiar o suprimir o agregar: Ramón Akal, Mark Fried, Karl Hübener, Carlos Machado y Héctor Velarde.

El libro está dedicado a Helena Villagra. Sin palabras.

En Montevideo, a fines del año 2011.

Y los días se echaron a caminar.
Y ellos, los días, nos hicieron.
Y así fuimos nacidos nosotros,
los hijos de los días,
los averiguadores,
los buscadores de la vida.

(El Génesis, según los mayas)

Enero

Enero
1

Hoy

Hoy no es el primer día del año para los mayas, los judíos, los árabes, los chinos y otros muchos habitantes de este mundo.

La fecha fue inventada por Roma, la Roma imperial, y bendecida por la Roma vaticana, y resulta más bien exagerado decir que la humanidad entera celebra este cruce de la frontera de los años.

Pero eso sí, hay que reconocerlo: el tiempo es bastante amable con nosotros, sus fugaces pasajeros, y nos da permiso para creer que hoy puede ser el primero de los días, y para querer que sea alegre como los colores de una verdulería.

Del fuego al fuego

En este día de 1492 cayó Granada, y con ella cayó la España musulmana.

Victoria de la Santa Inquisición: Granada había sido el último reino español donde las mezquitas, las iglesias y las sinagogas podían ser buenas vecinas.

En el mismo año comenzó la conquista de América, cuando América era un misterio sin nombre todavía.

Y en los años siguientes, en hogueras distantes, el mismo fuego quemó los libros musulmanes, los libros hebreos y los libros indígenas.

El fuego era el destino de las palabras que en el Infierno nacían.

La memoria andante

En el tercer día del año 47 antes de Cristo, ardió la biblioteca más famosa de la antigüedad.

Las legiones romanas invadieron Egipto, y durante una de las batallas de Julio César contra el hermano de Cleopatra, el fuego devoró la mayor parte de los miles y miles de rollos de papiro de la Biblioteca de Alejandría.

Un par de milenios después, las legiones norteamericanas invadieron Irak, y durante la cruzada de George W. Bush contra el enemigo que él mismo había inventado se hizo ceniza la mayor parte de los miles y miles de libros de la Biblioteca de Bagdad.

En toda la historia de la humanidad, hubo un solo refugio de libros a prueba de guerras y de incendios: la biblioteca andante fue una idea que se le ocurrió al Gran Visir de Persia, Abdul Kassem Ismael, a fines del siglo diez.

Hombre prevenido, este incansable viajero llevaba su biblioteca consigo. Cuatrocientos camellos cargaban ciento diecisiete mil libros, en una caravana de dos kilómetros de largo. Los camellos también servían de catálogo de obras: cada grupo de camellos llevaba los títulos que comenzaban con una de las treinta y dos letras del alfabeto persa.

Tierra que llama

Hoy nació, en 1643, Isaac Newton.

Newton nunca tuvo, que se sepa, amantes ni amantas.

Murió virgen, tocado por nadie, aterrorizado por la amenaza de contagios y fantasmas.

Pero este señor miedoso tuvo el coraje de investigar y revelar

el movimiento de los astros,

la composición de la luz,

la velocidad del sonido,

la conducción del calor

y la ley de la gravedad, esa irresistible fuerza de atracción de la tierra que nos llama y llamándonos nos recuerda nuestro origen y nuestro destino.

Tierra que dice

George Carver soñó con Dios.

—*Pídeme lo que quieras* —ofrecía Dios.

Carver pidió que le revelara los secretos del maní.

—*Pregúntale al maní* —le dijo Dios.

George, hijo de esclavos, dedicó su vida a la resurrección de las tierras asesinadas por las plantaciones esclavistas.

En su laboratorio, que parecía cocina de alquimista, elaboró centenares de productos derivados del maní y del boniato: aceite, queso, mantequilla, salsas, mayonesa, jabón, colorantes, tintas, melazas, pegamentos, talco...

—*Lo dicen las plantas* —explicaba—. *Ellas lo ofrecen a quien sepa escucharlas.*

Cuando murió, en el día de hoy de 1943, tenía más de ochenta años y seguía difundiendo recetas y consejos, y daba clases en una rara universidad, que había sido la primera en aceptar estudiantes negros en Alabama.

Enero
6

Tierra que espera

En el año 2009, Turquía devolvió la nacionalidad negada a Nazim Hikmet y reconoció, por fin, que era turco su poeta más amado y más odiado.

Él no pudo enterarse de esta buena noticia: había muerto hacía medio siglo en el exilio, donde había pasado la mayor parte de su vida.

Su tierra lo esperaba, pero sus libros estaban prohibidos, y él también. El desterrado quería volver:

Todavía me quedan cosas por hacer.
Me reuní con las estrellas, pero no pude contarlas.
Saqué agua del pozo, pero no pude ofrecerla.

Nunca volvió.

La nieta

Soledad, la nieta de Rafael Barrett, solía recordar una frase del abuelo:

—*Si el Bien no existe, hay que inventarlo.*

Rafael, paraguayo por elección, revolucionario por vocación, pasó más tiempo en la cárcel que en la casa, y murió en el exilio.

La nieta fue acribillada a balazos en Brasil, en el día de hoy de 1973.

El cabo Anselmo, marinero insurgente, jefe revolucionario, fue quien la entregó.

Harto de ser un perdedor, arrepentido de todo lo que creía y quería, él delató, uno por uno, a sus compañeros de lucha contra la dictadura militar brasileña, y los envió al suplicio o al matadero.

A Soledad, que era su mujer, la dejó para el final.

El cabo Anselmo señaló el lugar donde ella se escondía, y se alejó.

Ya estaba en el aeropuerto cuando sonaron los primeros tiros.

No digo adiós

En 1872, por orden del presidente de Ecuador, fue fusilada Manuela León.

En su sentencia, el presidente llamó Manuel a Manuela, para no dejar constancia de que un caballero como él estaba enviando al paredón a una mujer, aunque fuera una india bruta.

Manuela había alborotado tierras y pueblos y había alzado a la indiada contra el pago de tributos y el trabajo servil. Y por si todo eso fuera poco, había cometido la insolencia de desafiar a duelo al teniente Vallejo, oficial del gobierno, ante los ojos atónitos de los soldados, y a campo abierto la espada de él había sido humillada por la lanza de ella.

Cuando le llegó este último día, Manuela enfrentó al pelotón de fusilamiento sin venda en los ojos. Y preguntada si tenía algo que decir, contestó, en su lengua:

—*Manapi.*

Nada.

Elogio de la brevedad

Hoy se publicó, en Filadelfia, en 1776, la primera edición de *Sentido común*.

Thomas Paine, el autor, sostenía que la independencia era un asunto de sentido común contra la humillación colonial y la ridícula monarquía hereditaria, que tanto podía coronar a un león como a un burro.

Este libro de cuarenta y ocho páginas se difundió más que el agua y el aire, y fue uno de los papás de la independencia de los Estados Unidos.

En 1848, Karl Marx y Friedrich Engels escribieron las veintitrés páginas del *Manifiesto comunista*, que empezaba advirtiendo: *Un fantasma recorre Europa...* Y ésta resultó ser la obra que más influyó sobre las revoluciones del siglo veinte.

Y veintiséis páginas sumaba la exhortación a la indignación que Stéphane Hessel difundió en el año 2011. Esas pocas palabras ayudaron a desatar terremotos de protesta en varias ciudades. Miles de indignados invadieron las calles y las plazas, durante muchos días y noches, contra la dictadura universal de los banqueros y los guerreros.

Distancias

Tosiendo marchaba el coche.

Y a los tumbos, apilados dentro del coche, viajaban unos músicos. Ellos iban a alegrar una reunión de campesinos, pero ya llevaban un largo rato perdidos en los hirvientes caminos de Santiago del Estero.

Los despistados no tenían a quién preguntar. Nadie había, nadie quedaba, en aquellos desiertos que habían sido bosques.

Y de pronto apareció, en una nube de polvo, una niña en bicicleta.

—¿*Cuánto falta?* —preguntaron.

Y ella dijo:

—*Falta menos.*

Y en el polvo se fue.

Enero
11

El placer de ir

En 1887 nació, en Salta, el hombre que fue Salta: Juan Carlos Dávalos, fundador de una dinastía de músicos y poetas.

Según dicen los decires, él fue el primer tripulante de un Ford T, el Ford a bigote, en aquellas comarcas del norte argentino.

Por los caminos venía su Ford T, roncando y humeando.

Lento, venía. Las tortugas se sentaban a esperarlo.

Algún vecino se acercó. Preocupado saludó, comentó:

—*Pero don Dávalos... A este paso, no va a llegar nunca.*

Y él aclaró:

—*Yo no viajo por llegar. Viajo por ir.*

Enero
12

La urgencia de llegar

En esta mañana del año 2007, un violinista ofreció un concierto en una estación de metro de la ciudad de Washington.

Apoyado contra la pared, junto a un tacho de basura, el músico, que más parecía un muchacho de barrio, tocó obras de Schubert y otros clásicos, durante tres cuartos de hora.

Mil cien personas pasaron sin detener su apurado camino. Siete se detuvieron durante algo más que un instante. Nadie aplaudió. Hubo niños que quisieron quedarse, pero fueron arrastrados por sus madres.

Nadie sabía que él era Joshua Bell, uno de los virtuosos más cotizados y admirados del mundo.

El diario *The Washington Post* había organizado este concierto. Fue su manera de preguntar:

—*¿Tiene usted tiempo para la belleza?*

Tierra que brama

En el año 2010, un terremoto tragó buena parte de Haití y dejó más de doscientos mil muertos.

Al día siguiente, Pat Robertson, telepredicador evangélico, lo explicó desde los Estados Unidos: este pastor de almas reveló que los negros haitianos eran culpables de su libertad. El Diablo, que los había liberado de Francia, les estaba pasando la cuenta.

La maldición haitiana

El terremoto de Haití había culminado la larga tragedia de un país sin sombra y sin agua, que había sido arrasado por la voracidad colonial y la guerra contra la esclavitud.

Los amos destronados lo explican de otra manera: el vudú tenía y tiene la culpa de todas las desdichas. El vudú no merece ser llamado religión. No es más que una superstición venida del África, magia negra, cosa de negros, cosa del Diablo.

La Iglesia Católica, donde no faltan fieles capaces de vender uñas de los santos y plumas del arcángel Gabriel, logró que esa superstición fuera legalmente prohibida en Haití, en 1845, 1860, 1896, 1915 y 1942.

En los últimos tiempos, el combate contra la superstición corre por cuenta de las sectas evangélicas. Las sectas vienen del país de Pat Robertson: un país que no tiene piso 13 en sus edificios ni fila 13 en sus aviones, donde son mayoría los civilizados cristianos que creen que el mundo fue fabricado por Dios en una semana.

Enero
15

El zapato

En 1919, la revolucionaria Rosa Luxemburgo fue asesinada en Berlín.

Los asesinos la rompieron a golpes de fusil y la arrojaron a las aguas de un canal.

En el camino, ella perdió un zapato.

Alguna mano recogió ese zapato, tirado en el barro.

Rosa quería un mundo donde la justicia no fuera sacrificada en nombre de la libertad, ni la libertad fuera sacrificada en nombre de la justicia.

Cada día, alguna mano recoge esa bandera.

Tirada en el barro, como el zapato.

La ley mojada

En el día de hoy de 1920, el Senado de los Estados Unidos aprobó la Ley Seca.

Así se confirmó, una vez más, que la prohibición es la mejor publicidad: gracias a la Ley Seca, florecieron la fabricación y el consumo de los licores prohibidos y Al Capone y los suyos mataron y ganaron más que nunca.

En 1933, el general Smedley Butler, que había dirigido a los *marines* de los Estados Unidos a lo largo de dieciséis condecoraciones, confesó que los éxitos de Al Capone en Chicago habían inspirado a sus muchachos en tres continentes.

Enero
17

El hombre que fusiló a Dios

En 1918, en Moscú, en plena efervescencia revolucionaria, Anatoli Lunacharski encabezó el tribunal que juzgó a Dios.

Una Biblia fue sentada en el banquillo de los acusados.

Según el fiscal, Dios había cometido, a lo largo de la historia, numerosos crímenes contra la humanidad.

El abogado de oficio alegó que Dios era inimputable, porque padecía demencia grave; pero el tribunal lo condenó a muerte.

Al amanecer del día de hoy, cinco ráfagas de ametralladora fueron disparadas al cielo.

Enero
18

Agua sagrada

En los tiempos de la Santa Inquisición, los españoles que se bañaban eran sospechosos de herejía musulmana.

De Mahoma provenía la adoración del agua.

Mahoma había nacido en el desierto, allá por el año 570, y en el desierto, reino de la sed, había fundado la religión de los perseguidores del agua.

Él decía lo que Dios, llamado Alá, le había mandado decir: en el camino de la salvación, había que rezar cinco veces al día, flexionando el cuerpo hasta que el mentón tocara el suelo, y antes de cada plegaria era preciso purificarse con agua.

—*La limpieza es la mitad de la fe* —decía.

Con él nació una era

En 1736, nació el escocés James Watt. Dicen que él no inventó la máquina de vapor, pero en todo caso fue él quien supo desarrollarla, sin mayores pretensiones, y en un modesto taller engendró la fuente de energía de la revolución industrial.

A partir de entonces, de aquella máquina nacieron otras máquinas, que convirtieron a los campesinos en obreros, y a ritmo de vértigo el día de hoy se hizo mañana y el día de ayer fue enviado a la prehistoria.

Sagrada serpiente

En 1585, en su tercer concilio, los obispos de México prohibieron que se pintaran o esculpieran serpientes en los muros de las iglesias, en los retablos y en los altares.

Para entonces, los extirpadores de la idolatría ya habían advertido que esos instrumentos del Demonio no provocaban repulsión ni espanto entre los indios.

Los paganos adoraban a las serpientes. Las serpientes habían sido desprestigiadas, en la tradición bíblica, desde aquel asunto de la tentación de Adán, pero América era un cariñoso serpentario. El ondulante reptil anunciaba buenas cosechas, rayo que llamaba a la lluvia, y en cada nube vivía una serpiente de agua. Y era una serpiente emplumada el dios Quetzalcóatl, que por los caminos del agua se había ido.

Ellos caminaban sobre las aguas

En el año 1779, el conquistador inglés James Cook asistió a un espectáculo muy raro, en la isla de Hawaii. Era una diversión tan peligrosa como inexplicable: en la bahía de Kealakekua, los nativos disfrutaban parándose sobre las olas y dejándose llevar.

¿Habrá sido Cook el primer espectador del deporte que ahora llamamos *surf*?

Quizá se trataba de algo más que eso. Quizás había algo más en ese ritual de las olas. Al fin y al cabo, estos primitivos creían que el agua, madre de todas las vidas, era sagrada, pero no se arrodillaban ni se inclinaban ante su divinidad. Sobre la mar caminaban, en comunión con su energía.

Tres semanas después, Cook fue acuchillado por esos caminantes del agua. El generoso navegante, que ya había regalado Australia a la corona británica, se quedó con las ganas de regalar Hawaii.

**Enero
22**

La mudanza de un reino

En este día de enero de 1808, llegaron a la costa de Brasil, sin pan y sin agua, los extenuados navíos que dos meses antes habían partido de Lisboa.

Napoleón pisoteaba el mapa de Europa, y ya estaba atravesando la frontera de Portugal cuando se desató la estampida: la corte portuguesa, obligada a cambiar de domicilio, se marchaba al trópico.

La reina María encabezó la mudanza. Y tras ella fueron el príncipe y los duques, condes, vizcondes, marqueses y barones, con las pelucas y los fastuosos atuendos que después heredó el carnaval de Río de Janeiro. Y detrás, amontonados en el desespero, venían sacerdotes y jefes militares, cortesanas, costureras, médicos, jueces, notarios, barberos, escribientes, zapateros, jardineros…

La reina María no andaba muy bien de la cabeza, por no decir que estaba loca de remate, pero ella pronunció la única frase cuerda que se escuchó en medio de aquel manicomio:

—*¡No corran tanto, que va a parecer que estamos huyendo!*

**Enero
23**

Madre civilizadora

En 1901, al día siguiente del último suspiro de la reina Victoria, comenzaron en Londres sus solemnes pompas fúnebres. No fue fácil la organización. Merecía una gran muerte esa reina que había dado nombre a toda una época y había dado ejemplo de abnegación femenina vistiendo luto, durante cuarenta años, en memoria de su difunto marido.

Victoria, símbolo del imperio británico, dueña y señora del siglo diecinueve, había impuesto el opio en China y la vida virtuosa en su nación.

En el centro de su imperio, eran lectura obligada las obras que enseñaban a respetar las buenas maneras. El *Libro de etiqueta*, de lady Gough, publicado en 1863, desarrollaba algunos de los mandamientos sociales de la época: había que evitar, por ejemplo, la intolerable proximidad de los libros de autores con los libros de autoras en los estantes de las bibliotecas.

Los libros sólo podían juntarse si el autor y la autora estaban unidos en matrimonio, como era el caso de Robert y Elizabeth Barrett Browning.

Padre civilizador

En 1965, murió Winston Churchill.

En 1919, cuando presidía el British Air Council, había ofrecido una de sus frecuentes lecciones del arte de la guerra:

No consigo entender tantos remilgos sobre el uso del gas. Yo estoy muy a favor del uso de gas venenoso contra las tribus incivilizadas. Eso tendría un buen efecto moral y difundiría un perdurable terror.

Y en 1937, hablando ante la Palestine Royal Commission, había ofrecido una de sus frecuentes lecciones de historia de la humanidad:

Yo no admito que se haya hecho nada malo a los pieles rojas de América, ni a los negros de Australia, cuando una raza más fuerte, una raza de mejor calidad, llegó y ocupó su lugar.

Enero
25

El derecho a la picardía

El pueblo de Nicaragua celebra al Güegüence, y ríe con él.

En estos días, días de su fiesta, las calles se vuelven escenarios donde este pícaro cuenta, canta y baila, y por su obra y gracia todos se vuelven cuenteros, cantores y bailanderos.

El Güegüence es el papá del teatro callejero en América Latina. Desde el principio de los tiempos coloniales, él viene enseñando las artes del maestro enredador:

—*Lo que no puedas ganar, empátalo. Lo que no puedas empatar, enrédalo.*

Y desde aquel entonces, de siglo en siglo, el Güegüence no ha parado de hacerse el tonto, inventón de palabras que nada significan, maestro de diabluras que el Diablo envidia, deshumillador de los humillados, jodón, jodido, jodedor.

Segunda fundación de Bolivia

En el día de hoy del año 2009, el plebiscito popular dijo sí a la nueva Constitución propuesta por el presidente Evo Morales.

Hasta este día, los indios no eran hijos de Bolivia: eran nada más que su mano de obra.

En 1825, la primera Constitución otorgó la ciudadanía al tres o cuatro por ciento de la población. Los demás, indios, mujeres, pobres, analfabetos, no fueron invitados a la fiesta.

Para muchos periodistas extranjeros, Bolivia es un país ingobernable, incomprensible, intratable, inviable. Se equivocan de in: deberían confesar que Bolivia es, para ellos, un país invisible. Y eso nada tiene de raro, porque hasta el día de hoy, también Bolivia había sido un país ciego de sí.

Para que escuches el mundo

Hoy nació, en 1756, Wolfgang Amadeus Mozart. Siglos después, hasta los bebés aman la música que nos dejó.

Está comprobado, muchas veces y en muchos lugares, que el recién nacido llora menos y duerme mejor cuando escucha la música de Mozart.

Es la mejor bienvenida al mundo, la manera mejor de decirle:

—*Ésta es tu nueva casa. Y así suena.*

Para que leas el mundo

Cuando la imprenta aún no existía, el emperador Carlomagno formó amplios equipos de copistas, que en Aquisgrán crearon la mejor biblioteca de Europa.

Carlomagno, que tanto ayudó a leer, no sabía leer. Y analfabeto murió, a principios del año 814.

Callando digo

Hoy nació Anton Chejov, en 1860.
Escribió como diciendo nada.
Y dijo todo.

La catapulta

En 1933, Adolfo Hitler fue nombrado canciller de Alemania. Poco después, celebró un acto inmenso, como correspondía al nuevo dueño y señor de la nación. Modestamente, gritó:

—*¡Yo estoy fundando la Era de la Verdad! ¡Despierta, Alemania! ¡Despierta!*,

y los cohetes, los fuegos artificiales, las campanas de las iglesias, los cánticos y las ovaciones multiplicaron los ecos.

Cinco años antes, el partido nazi había obtenido menos del tres por ciento de los votos.

El salto olímpico de Hitler hacia la cumbre fue tan espectacular como la simultánea caída hacia el abismo de los salarios, los empleos, la moneda y todo lo demás.

Alemania, enloquecida por el derrumbamiento general, desató la cacería contra los culpables: los judíos, los rojos, los homosexuales, los gitanos, los débiles mentales y los que tenían la manía de pensar demasiado.

Enero
31

De viento somos

Hoy nació, en 1908, Atahualpa Yupanqui.
En la vida fueron tres: la guitarra, el caballo y él. O
cuatro, contando el viento.

Febrero

Febrero
1

Un almirante hecho pedazos

Blas de Lezo nació en Guipúzcoa, en 1689.
Este almirante de la flota española derrotó a los piratas ingleses en las costas peruanas, sometió a la poderosa ciudad de Génova, rindió la ciudad argelina de Orán y en Cartagena de Indias humilló a la armada británica, peleando con mucha astucia y pocas naves.

En sus veintidós batallas, un cañonazo le voló una pierna, una esquirla le arrancó un ojo y un tiro de mosquete lo dejó con un solo brazo.

Lo llamaban *Mediohombre*.

Febrero
2

La diosa está de fiesta

Hoy las costas de las Américas rinden homenaje a Iemanyá.

Esta noche, la diosa madre de los peces, que hace siglos vino del África en los barcos de esclavos, se alza en la espuma y abre los brazos. La mar le lleva peines, cepillos, perfumes, tortas, golosinas y otras ofrendas de los marineros que por ella mueren de amor y de miedo.

Parientes y amigos de Iemanyá suelen acudir a la fiesta desde el Olimpo africano:

Xangô, su hijo, que desata las lluvias del cielo;

Oxumaré, el arcoíris, guardián del fuego;

Ogún, herrero y guerrero, peleón y mujeriego;

Oshún, la amante que duerme en los ríos y jamás borra lo que escribe,

y Exû, que es Satanás de los infiernos y también es Jesús de Nazaret.

El carnaval abre alas

En 1899, las calles de Río de Janeiro enloquecieron bailando la música que inauguró la historia del carnaval carioca.

Esa gozadera se llamaba *O abre alas:* un *maxixe*, invención musical brasileña que se reía de las rígidas danzas de salón.

La autora era Chiquinha Gonzaga, compositora desde la infancia.

A los dieciséis años, los padres la casaron, y el marqués de Caxias fue padrino de la boda.

A los veinte, el marido la obligó a elegir entre el hogar y la música:

—*No entiendo la vida sin música* —dijo ella, y se fue de la casa.

Entonces su padre proclamó que la honra familiar había sido mancillada, y denunció que Chiquinha había heredado de alguna abuela negra esa tendencia a la perdición. Y la declaró muerta, y prohibió que en su hogar se mencionara el nombre de la descarriada.

Febrero
4

La amenaza

Se llamaba Juana Aguilar, pero la llamaban Juana la Larga, por el escandaloso tamaño de su clítoris.

La Santa Inquisición recibió varias denuncias de tal *exceso criminoso*; y en el año 1803, la Real Audiencia de Guatemala mandó que el cirujano Narciso Esparragosa examinara a la acusada.

Este sabio en anatomía dictaminó que Juana *contradecía el orden natural,* y advirtió que el clítoris podía resultar peligroso, como bien se sabía en Egipto y otros reinos de Oriente.

Febrero
5

A dos voces

Habían crecido juntas, la guitarra y Violeta Parra.
Cuando una llamaba, la otra venía.

La guitarra y ella se reían, se lloraban, se preguntaban, se creían.

La guitarra tenía un agujero en el pecho.
Ella, también.

En el día de hoy de 1967, la guitarra llamó y Violeta no vino.

Nunca más vino.

El grito

Bob Marley nació en el pobrerío, y grabó sus primeras músicas durmiendo en el suelo del estudio.

Y en pocos años se hizo rico y famoso y durmió en lecho de plumas, abrazado a Miss Mundo, y fue adorado por las multitudes.

Pero nunca olvidó que él no era solamente él.

Por su voz cantaba el sonoro silencio de los tiempos pasados, la fiesta y la furia de los esclavos guerreros que durante dos siglos habían vuelto locos a sus amos en las montañas de Jamaica.

El octavo rayo

Roy Sullivan, guardabosques de Virginia, nació en 1912, en este día siete, y sobrevivió a siete rayos durante sus setenta años de vida:

en 1959, un rayo le arrancó la uña de un dedo del pie;

en 1969, otro rayo le voló las cejas y las pestañas;

en 1970, otro rayo le achicharró el hombro izquierdo;

en 1972, otro rayo lo dejó sin pelo;

en 1973, otro rayo le quemó las piernas;

en 1976, otro rayo le abrió un tobillo;

en 1977, otro rayo le calcinó el pecho y el vientre.

Pero no vino del cielo el rayo que en 1983 le partió la cabeza.

Dicen que fue una palabra, o un silencio, de mujer.

Dicen.

Febrero
8

La besación general

En 1980, estalló en la ciudad brasileña de Sorocaba una insólita manifestación popular.

En plena dictadura militar, una orden judicial había prohibido los besos que atentaban contra la moral pública. La sentencia del juez Manuel Moralles, que castigaba esos besos con cárcel, los describía así:

Besos hay que son libidinosos y, por lo tanto, obscenos, como el beso en el cuello, en las partes pudendas, etc., y como el beso cinematográfico, en el que las mucosas labiales se unen en una insofismable expansión de sensualidad.

La ciudad respondió convirtiéndose en un gran besódromo. Nunca nadie se besó tanto. La prohibición multiplicó las ganas, y muchos hubo que por pura curiosidad quisieron conocer el gustito del beso insofismable.

Mármol que respira

Afrodita fue la primera mujer desnuda en la historia de la escultura griega.

Praxíteles la talló con la túnica caída a sus pies, y la ciudad de Cos le exigió que la vistiera. Pero otra ciudad, Cnido, le dio la bienvenida y le ofreció un templo; y en Cnido vivió la más mujer de las diosas, la más diosa de las mujeres.

Aunque estaba encerrada y muy custodiada, los guardias no podían evitar la invasión de los locos por ella.

Un día como hoy, harta de tanto acoso, Afrodita huyó.

Febrero
10

Una victoria de la Civilización

Ocurrió al norte del río Uruguay. Siete misiones de los sacerdotes jesuitas fueron regaladas por el rey de España a su suegro, el rey de Portugal. La ofrenda incluía a los treinta mil indios guaraníes que allí vivían.

Los guaraníes se negaron a obedecer, y los jesuitas, acusados de complicidad con los indios, fueron devueltos a Europa.

En el día de hoy de 1756, en las colinas de Caiboaté, fue derrotada la resistencia indígena.

Triunfó el ejército de España y Portugal, más de cuatro mil soldados acompañados por caballos, cañones y numerosos ladrones de tierras y cazadores de esclavos.

Saldo final, según los datos oficiales:

Muertos indígenas, 1723.

Muertos españoles, 3.

Muertos portugueses, 1.

Febrero
11

No

Mientras nacía el año 1962, una desconocida banda musical, dos guitarras, un bajo, una batería, grabó en Londres su primer disco.

Los muchachos regresaron a Liverpool y se sentaron a esperar.

Contaban las horas, contaban los días.

Cuando ya no les quedaban uñas por comer, un día como hoy recibieron la respuesta. La Decca Recording Company les decía, francamente:

No nos gusta su sonido.

Y sentenciaba:

Las bandas de guitarras están desapareciendo.

Los Beatles no se suicidaron.

Día de la lactancia materna

Bajo el techo ondulado de la estación de Chengdu, en Sichuan, centenares de jóvenes chinas sonríen para la foto.

Todas lucen idénticos delantales nuevos.

Están todas recién peinadas, lavadas, planchadas.

Están todas recién paridas.

Esperan el tren que las llevará a Pekín.

En Pekín, todas darán de mamar a bebés ajenos.

Estas vacas lecheras serán bien pagadas y bien alimentadas.

Mientras tanto, muy lejos de Pekín, en las aldeas de Sichuan, sus bebés serán amamantados con leche en polvo.

Todas dicen que lo hacen por ellos, para pagarles una buena educación.

El peligro de jugar

En el año 2008, Miguel López Rocha, que estaba brincando en las afueras de la ciudad mexicana de Guadalajara, resbaló y cayó al río Santiago.

Miguel tenía ocho años de edad.

No murió ahogado.

Murió envenenado.

El río contiene arsénico, ácido sulfhídrico, mercurio, cromo, plomo y furanos, arrojados a sus aguas por Aventis, Bayer, Nestlé, IBM, DuPont, Xerox, United Plastics, Celanese y otras empresas, que en sus países tienen prohibidas esas donaciones.

Febrero
14

Niños robados

Los hijos de los enemigos fueron botín de guerra de la dictadura militar argentina, que robó más de quinientos niños en años recientes.

Pero muchos más niños robó, durante mucho más tiempo, la democracia australiana, con permiso de la ley y aplausos del público.

En el año 2008, el primer ministro de Australia, Kevin Rudd, pidió perdón a los indígenas, que habían sido despojados de sus hijos durante más de un siglo.

Las agencias estatales y las iglesias cristianas habían secuestrado a los niños y los habían distribuido entre las familias blancas, para salvarlos de la pobreza y de la delincuencia y para civilizarlos y alejarlos de las costumbres salvajes.

Para blanquear a los negros, decían.

Febrero
15

Otros niños robados

—*El marxismo es la máxima forma de la patología mental* —había sentenciado el coronel Antonio Vallejo Nájera, psiquiatra supremo en la España del generalísimo Francisco Franco.

Él había estudiado, en las cárceles, a las madres republicanas, y había comprobado que tenían *instintos criminales*.

Para defender la pureza de la raza ibérica, amenazada por la degeneración marxista y la criminalidad materna, miles de niños recién nacidos o de muy corta edad, hijos de padres republicanos, fueron secuestrados y arrojados a los brazos de las familias devotas de la cruz y de la espada.

¿Quiénes fueron esos niños? ¿Quiénes son, tantos años después?

No se sabe.

La dictadura franquista inventó documentos falsos, que les borraron las huellas, y dictó orden de olvidar: robó los niños y robó la memoria.

El Plan Cóndor

Macarena Gelman fue una de las muchas víctimas del Plan Cóndor, que así se llamó el mercado común del terror articulado por las dictaduras militares sudamericanas.

La madre de Macarena estaba embarazada de ella cuando los militares argentinos la enviaron al Uruguay. La dictadura uruguaya se hizo cargo del parto, mató a la madre y regaló la hija recién nacida a un jefe policial.

Durante toda su infancia, Macarena durmió atormentada por una pesadilla inexplicable, que noche tras noche se repetía: la perseguían unos hombres armados hasta los dientes, y ella despertaba llorando.

La pesadilla dejó de ser inexplicable cuando Macarena descubrió la verdadera historia de su vida. Y entonces supo que ella había soñado, allá en la infancia, los pánicos de su madre: su madre, que en el vientre la estaba modelando mientras huía de la cacería militar que por fin la atrapó y la envió a la muerte.

Febrero
17

El festejo que no fue

Los peones de los campos de la Patagonia argentina se habían alzado en huelga, contra los salarios cortísimos y las jornadas larguísimas, y el ejército se ocupó de restablecer el orden.

Fusilar cansa. En esta noche de 1922, los soldados, exhaustos de tanto matar, fueron al prostíbulo del puerto San Julián, a recibir su merecida recompensa.

Pero las cinco mujeres que allí trabajaban les cerraron la puerta en las narices y los corrieron al grito de *asesinos, asesinos, fuera de aquí...*

Osvaldo Bayer ha guardado sus nombres. Ellas se llamaban Consuelo García, Ángela Fortunato, Amalia Rodríguez, María Juliache y Maud Foster.

Las putas. Las dignas.

Febrero
18

Solo de él

Cuando Miguel Ángel se enteró de la muerte de Francesco, que era su ayudante y mucho más, rompió a martillazos el mármol que estaba esculpiendo.

Poco después, escribió que esa muerte *ha sido gracia de Dios, pero para mí ha sido grave daño e infinito dolor. La gracia está en el hecho de que Francesco, quien en vida me mantenía vivo, muriendo me ha enseñado a morir sin pena. Pero yo lo he tenido durante veintiséis años... Ahora no me queda otra cosa que una infinita miseria. La mayor parte de mí se ha ido con él.*

Miguel Ángel yace en Florencia, en la iglesia de la Santa Croce.

Él y su inseparable Francesco solían sentarse en la escalinata de esa iglesia, para disfrutar los duelos que en la vasta plaza libraban, a patadas y pelotazos, los jugadores de lo que ahora llamamos fútbol.

Febrero
19

Quizás Horacio Quiroga
hubiera contado así su propia muerte:

Hoy me morí.
En el año 1937, supe que tenía un cáncer incurable.
Y supe que la muerte, que me perseguía desde siempre, me había encontrado.
Y enfrenté a la muerte, cara a cara, y le dije:
—*Esta guerra acabó.*
Y le dije:
—*La victoria es tuya.*
Y le dije:
—*Pero el cuándo es mío.*
Y antes de que la muerte me matara, me maté.

Día de la justicia social

A fines del siglo diecinueve, Juan Pío Acosta vivía en la frontera uruguaya con Brasil.

Su trabajo lo obligaba a ir y venir, de pueblo en pueblo, a través de aquellas soledades.

Viajaba en un carro de caballos, junto a ocho pasajeros de primera, segunda y tercera clase.

Juan Pío compraba siempre el pasaje de tercera, que era el más barato.

Nunca entendió por qué había precios diferentes. Todos viajaban igual, los que pagaban más y los que pagaban menos: apretados unos contra otros, mordiendo polvo, sacudidos por el incesante traqueteo.

Nunca entendió por qué, hasta que un mal día de invierno el carro se atascó en el barro. Y entonces el mayoral mandó:

—*¡Los de primera se quedan arriba!*

—*¡Los de segunda se bajan!*

—*Y los de tercera… ¡a empujar!*

El mundo encoge

Hoy es el Día de las lenguas maternas.
Cada dos semanas, muere una lengua.

El mundo disminuye cuando pierde sus humanos decires, como pierde la diversidad de sus plantas y sus bichos.

En 1974 murió Ángela Loij, una de las últimas indígenas onas de la Tierra del Fuego, allá en el fin del mundo; y la última que hablaba su lengua.

Solita cantaba Ángela, para nadie cantaba, en esa lengua que ya nadie recordaba:

> *Voy andando por las pisadas*
> *de aquellos que se fueron.*
> *Perdida estoy.*

En tiempos idos, los onas adoraban varios dioses. El dios supremo se llamaba Pemaulk.

Pemaulk significaba *Palabra*.

El silencio

En Estambul, que por entonces se llamaba Constantinopla, Pablo el Silenciario concluyó sus quince poemas de amor en el año 563.

Este poeta griego debía su nombre al trabajo que cumplía. Él cuidaba el silencio en el palacio del emperador Justiniano.

En su propio lecho, también.

Uno de los poemas dice:

> *Tus pechos contra mi pecho,*
> *tus labios en mis labios.*
> *Lo demás es silencio:*
> *Yo odio la boca que nunca se cierra.*

El libro de los prodigios

En un día de éstos de 1455 salió a luz la Biblia, primer libro impreso en Europa con tipografía móvil. Los chinos venían imprimiendo libros desde hacía dos siglos, pero fue Johannes Gutenberg quien inició la difusión masiva de la más apasionante novela de la literatura universal.

Las novelas cuentan pero no explican, ni tienen por qué explicar. La Biblia no dice qué dieta siguió Noé para llegar al Diluvio con seiscientos años de edad, ni cuál fue el método que usó la mujer de Abraham para quedar embarazada a los noventa, ni aclara si sabía hablar en hebreo la burra de Balaam, que discutía con su amo.

Febrero
24

Una lección de realismo

En 1815, Napoleón Bonaparte se fugó de su prisión en la isla de Elba y emprendió viaje a la reconquista del trono de Francia.

Marchaba paso a paso, acompañado por una tropa creciente, mientras el diario *Le Moniteur Universel*, que había sido su órgano oficial, aseguraba que los franceses estaban locos de ganas de morir defendiendo al rey Luis XVIII, y llamaba a Napoleón *violador a mano armada del suelo de la patria, extranjero fuera de la ley, usurpador, traidor, plaga, jefe de bandoleros, enemigo de Francia que osa ensuciar el suelo del que ha sido expulsado,* y anunciaba: *Éste será su último acto de locura.*

Pero por fin el rey huyó, nadie murió por él, y Napoleón se sentó en el trono sin disparar ni un tiro.

Entonces el mismo diario pasó a informar que *la feliz noticia de la entrada de Napoleón en la capital ha provocado una explosión súbita y unánime, todo el mundo se abraza, las vivas al Emperador llenan el aire, en todos los ojos hay lágrimas de alegría, todos celebran el regreso del héroe de Francia y prometen a Su Majestad el Emperador la más profunda sumisión.*

Febrero
25

La noche kuna

El gobierno de Panamá había ordenado, por ley, *la reducción a la vida civilizada de las tribus bárbaras, semibárbaras y salvajes que existen en el país.*

Y su portavoz había anunciado:

—*Las indias kunas nunca más se pintarán la nariz, sino las mejillas, y ya no llevarán aros en la nariz, sino en las orejas. Y ya no vestirán molas, sino vestidos civilizados.*

Y a ellas y a ellos les fue prohibida su religión y sus ceremonias, que ofendían a Dios, y su tradicional manía de gobernarse a su modo y manera.

En 1925, en la noche del día veinticinco del mes de las iguanas, los kunas pasaron a cuchillo a todos los policías que les prohibían vivir su vida.

Desde entonces, las mujeres kunas siguen llevando aros en sus narices pintadas, y siguen vistiendo sus molas, espléndido arte de una pintura que usa hilo y aguja en lugar de pincel. Y ellas y ellos siguen celebrando sus ceremonias y sus asambleas, en las dos mil islas donde defienden, por las buenas o por las malas, su reino compartido.

Febrero
26

África mía

A fines del siglo diecinueve, las potencias coloniales europeas se reunieron, en Berlín, para repartirse el África.

Fue larga y dura la pelea por el botín colonial, las selvas, los ríos, las montañas, los suelos, los subsuelos, hasta que las nuevas fronteras fueron dibujadas y en el día de hoy de 1885 se firmó, *en nombre de Dios Todopoderoso,* el Acta General.

Los amos europeos tuvieron el buen gusto de no mencionar el oro, los diamantes, el marfil, el petróleo, el caucho, el estaño, el cacao, el café ni el aceite de palma;

prohibieron que la esclavitud fuera llamada por su nombre;

llamaron *sociedades filantrópicas* a las empresas que proporcionaban carne humana al mercado mundial;

advirtieron que actuaban movidos por el deseo de *favorecer el desarrollo del comercio y de la Civilización*

y, por si hubiera alguna duda, aclararon que actuaban preocupados *por aumentar el bienestar moral y material de las poblaciones indígenas.*

Así Europa inventó el nuevo mapa del África.

Ningún africano estuvo, ni de adorno, en esa reunión cumbre.

Febrero
27

También los bancos son mortales

Todo verdor perecerá, había anunciado la Biblia.

En 1995, el Banco Barings, el más antiguo de Inglaterra, cayó en bancarrota. Una semana después, fue vendido por un precio total de una (1) libra esterlina.

Este banco había sido el brazo financiero del imperio británico.

La independencia y la deuda externa nacieron juntas en América Latina. Todos nacimos debiendo. En nuestras tierras, el Banco Barings compró países, alquiló próceres, financió guerras.

Y se creyó inmortal.

Cuando

Cuando estaba bajando la escalera de caracol de un barco, se le ocurrió que quizá las moléculas de las proteínas viajaran así, en espiral y sobre suelo ondulado; y eso resultó ser un hallazgo científico.

Cuando descubrió que los automóviles tenían la culpa de lo mucho que él tosía en la ciudad de Los Ángeles, inventó el auto eléctrico, que fue un fracaso comercial.

Cuando se enfermó de los riñones, y los medicamentos no lo mejoraban, se recetó comida sana y bombardeos de vitamina C. Y se curó.

Cuando estallaron las bombas sobre Hiroshima y Nagasaki, fue invitado a dictar una conferencia científica en Hollywood, y cuando descubrió que no había dicho lo que quería decir pasó a encabezar la campaña mundial contra las armas nucleares.

Cuando recibió el Premio Nobel por segunda vez, la revista *Life* denunció que eso era un insulto. Ya en dos ocasiones el gobierno de los Estados Unidos lo había dejado sin pasaporte, porque era sospechoso de simpatías comunistas, o porque había dicho que Dios era una idea no necesaria.

Se llamaba Linus Pauling. Había nacido mientras nacía el siglo veinte.

Febrero
29

Lo que el viento no se llevó

El día de hoy tiene la costumbre de fugarse del almanaque, pero regresa cada cuatro años.

Es el día más raro del año.

Pero este día nada tuvo de raro en Hollywood, en 1940.

Con toda normalidad, el 29 de febrero Hollywood otorgó casi todos sus premios, ocho Oscars, a *Lo que el viento se llevó*, que era un largo suspiro de nostalgia por los buenos tiempos de la esclavitud perdida.

Y así Hollywood confirmó sus costumbres. Veinticinco años antes, su primer superéxito, *El nacimiento de una nación*, había sido un himno de alabanza al Ku Klux Klan.

Marzo

Marzo
1

Fue

Elisa Lynch estaba cavando la tumba con las uñas. Los soldados vencedores, atónitos, la dejaban hacer. Los zarpazos de esta mujer alzaban nubes de polvo rojo y sacudían la rojiza melena que le llovía sobre la cara.

Solano López yacía a su lado.

Ella, mutilada de él, no lo lloraba, no lo miraba: le iba arrojando tierra encima, inútiles manotazos que querían enterrarlo en la tierra que había sido su tierra.

Él ya no era, y el Paraguay ya no era.

Cinco años había durado la guerra.

Había caído, asesinado, el único país latinoamericano que negaba obediencia a los banqueros y a los mercaderes.

Y mientras Elisa seguía echando puñados de tierra sobre el hombre que había sido su hombre, el sol se iba, y con el sol se iba este maldito día del año 1870.

Desde la fronda del cerro Corá, unos pocos pájaros le decían adiós.

Marzo
2

Silbando digo

El silbido es el lenguaje de La Gomera.

En 1999, el gobierno de las islas Canarias decidió que en las escuelas se estudiara el idioma perpetuado por el pueblo que lo silba.

En tiempos antiguos, los pastores de la isla La Gomera se comunicaban silbando, desde lejanas montañas, gracias a los barrancos, que multiplicaban los ecos. Así trasmitían mensajes y contaban sucedidos, noticias de los idos y los venidos, los peligros y las alegrías, los trabajos y los días.

Han pasado los siglos, y en esa isla los silbos humanos, envidiados por los pájaros, siguen siendo tan poderosos como las voces del viento y de la mar.

Marzo
3

Libertadoras brasileñas

Hoy culminó, en 1770, el reinado de Teresa de Benguela en Quariterê. Éste había sido uno de los santuarios de libertad de los esclavos fugitivos en Brasil. Durante veinte años, Teresa había enloquecido a los soldados del gobernador de Mato Grosso. No pudieron atraparla viva.

En los escondites de la floresta, hubo unas cuantas mujeres que además de cocinar y parir fueron capaces de combatir y mandar, como Zacimba Gambá en Espírito Santo, Mariana Crioula en el interior de Río de Janeiro, Zeferina en Bahía y Felipa María Aranha en Tocantins.

En Pará, a orillas del río Trombetas, no había quien discutiera las órdenes de la Mãe Domingas.

En el vasto refugio de Palmares, en Alagoas, la princesa africana Aqualtune gobernó una aldea libre, hasta que fue incendiada por las tropas coloniales en 1677.

Todavía existe, y se llama Conceição das Crioulas, en Pernambuco, la comunidad que en 1802 fundaron dos negras fugitivas, las hermanas Francisca y Mendecha Ferreira.

Cuando las tropas esclavistas andaban cerca, las esclavas liberadas llenaban de semillas sus frondosas cabelleras africanas. Como en otros lugares de las Américas, convertían sus cabezas en graneros, por si había que salir huyendo a la disparada.

Marzo
4

El milagro saudí

En 1938, estalló la gran noticia: la Standard Oil Company había descubierto un mar de petróleo bajo los inmensos arenales de Arabia Saudita.

Actualmente, éste es el país que fabrica a los terroristas más famosos y el que más viola los derechos humanos; pero las potencias occidentales, que tanto invocan el peligro árabe para sembrar pánicos o arrojar bombas, se llevan de lo más bien con este reino de cinco mil príncipes. ¿Será porque también es el que más petróleo vende y el que más armas compra?

El divorcio como medida higiénica

En 1953, se estrenó en México una película de Luis Buñuel llamada *Él*. Buñuel, desterrado español, había filmado la novela de una desterrada española, Mercedes Pinto, que contaba los suplicios de la vida conyugal. Tres semanas duró en cartel. El público se reía como si fuera una de Cantinflas.

La autora de la novela había sido expulsada de España en 1923. Ella había cometido el sacrilegio de dictar una conferencia en la Universidad de Madrid cuyo título ya la hacía insoportable: *El divorcio como medida higiénica*.

El dictador Miguel Primo de Rivera la mandó llamar. Habló en nombre de la Iglesia católica, la Santa Madre, y en pocas palabras le dijo todo:

—*Usted se calla, o se va*.

Y Mercedes Pinto se fue.

A partir de entonces, su paso creativo, que despertaba el piso que pisaba, dejó huella en Uruguay, en Bolivia, en Argentina, en Cuba, en México…

La florista

Georgia O'Keeffe vivió pintando, durante casi un siglo, y pintando murió.

Sus cuadros alzaron un jardín en la soledad del desierto.

Las flores de Georgia, clítoris, vulvas, vaginas, pezones, ombligos, eran los cálices de una misa de acción de gracias por la alegría de haber nacido mujer.

Las brujas

En el año 1770, una ley inglesa condenó a las mujeres engañeras.

Estas pérfidas seducían a los súbditos de Su Majestad y los empujaban al matrimonio utilizando malas artes tales como *perfumes, pinturas, baños cosméticos, dentaduras postizas, pelucas, rellenos de lana, corsés, armazones, aros y aretes y zapatos de tacones altos.*

Las autoras de estos fraudes, decía la ley, *serán juzgadas según las leyes vigentes contra la brujería, y sus matrimonios serán declarados nulos y disueltos.*

El atraso tecnológico impidió incluir las siliconas, la liposucción, el bótox, las cirugías plásticas y otros prodigios quirúrgicos y químicos.

Homenajes

Hoy es el Día de la mujer.

A lo largo de la historia, varios pensadores, humanos y divinos, todos machos, se han ocupado de la mujer, por diversas razones:

• Por su anatomía

Aristóteles: *La mujer es un hombre incompleto.*

Santo Tomás de Aquino: *La mujer es un error de la naturaleza, nace de un esperma en mal estado.*

Martín Lutero: *Los hombres tienen hombros anchos y caderas estrechas. Están dotados de inteligencia. Las mujeres tienen hombros estrechos y caderas anchas, para tener hijos y quedarse en casa.*

• Por su naturaleza

Francisco de Quevedo: *Las gallinas ponen huevos y las mujeres, cuernos.*

San Juan Damasceno: *La mujer es una burra tozuda.*

Arthur Schopenhauer: *La mujer es un animal de pelo largo y pensamiento corto.*

• Por su destino

Dijo Yahvé a la mujer, según la Biblia: *Tu marido te dominará.*

Dijo Alá a Mahoma, según el Corán: *Las buenas mujeres son obedientes.*

El día que México invadió a los Estados Unidos

En esta madrugada de 1916, Pancho Villa atravesó la frontera, incendió la ciudad de Columbus, mató a algunos soldados, se llevó unos cuantos caballos y municiones y al día siguiente regresó a México, para contar su hazaña.

Esta fugaz incursión de los jinetes de Pancho Villa fue la única invasión que los Estados Unidos sufrieron en toda su historia.

En cambio, este país ha invadido y sigue invadiendo a casi todo el mundo.

Desde 1947, su Ministerio de Guerra se llama Ministerio de Defensa, y su presupuesto de Guerra se llama presupuesto de Defensa.

El nombre es un enigma más indescifrable que el misterio de la Santísima Trinidad.

El Diablo tocó el violín

En esta noche de 1712, el Diablo visitó al joven violinista Giuseppe Tartini, y en sueños tocó para él.

Giuseppe quería que esa música no terminara nunca; pero cuando despertó, la música se había ido.

En busca de esa música perdida, Tartini compuso doscientas diecinueve sonatas, que ejecutó con inútil maestría todo a lo largo de su vida.

El público aplaudía sus fracasos.

La izquierda es la universidad de la derecha

En 1931 nació, en Australia, un bebé que fue llamado Rupert.

En pocos años, Rupert Murdoch se hizo amo y señor de los medios de comunicación en el mundo entero. El asombroso vuelo hacia el éxito no sólo se explica por su astucia y su maestría en el juego sucio. Rupert también fue ayudado por su conocimiento de los secretos del funcionamiento del sistema capitalista.

Y eso lo había aprendido cuando era un estudiante veintiañero que admiraba a Lenin y leía a Marx.

**Marzo
12**

Más sabe el sueño que la vigilia

Se vuelve rojo el monte Fuji, el símbolo del Japón.

Cubren el cielo las rojas nubes de plutonio, las nubes amarillas de estroncio, las nubes púrpuras de cesio, todas cargadas de cáncer y otros monstruos.

Seis centrales nucleares han estallado.

La gente, desesperada, huye hacia ninguna parte:

—*¡Nos han estafado! ¡Nos han mentido!*

Algunos se arrojan al mar o al vacío, para apresurar el destino.

Akira Kurosawa soñó esta pesadilla, y la filmó, veinte años antes de la catástrofe nuclear que a principios de 2011 desencadenó un apocalipsis en su país.

Marzo
13

Las buenas conciencias

En el día de hoy del año 2007, la empresa bananera Chiquita Brands, heredera de la United Fruit, reconoció que durante siete años había financiado a los paramilitares colombianos, y aceptó pagar una multa.

Los paramilitares brindaban protección contra las huelgas y otras malas costumbres de los sindicatos obreros. Ciento setenta y tres sindicalistas fueron asesinados en la región bananera, en esos años.

La multa fue de veinticinco millones de dólares. Ni un solo centavo llegó a las familias de las víctimas.

Marzo
14

El Capital

En 1883 una multitud acudió al entierro de Karl Marx, en el cementerio de Londres: una multitud de once personas, contando al enterrador.

La más famosa de sus frases fue su epitafio:

Los filósofos han interpretado el mundo, de varias maneras; pero el asunto es cambiarlo.

Este profeta de la transformación del mundo pasó su vida huyendo de la policía y de los acreedores.

Sobre su obra maestra, comentó:

—*Nadie ha escrito tanto sobre el dinero teniendo tan poco dinero. El Capital no me va a pagar ni los tabacos que me fumé escribiéndolo.*

Marzo
15

Voces de la noche

En este amanecer del año 44 antes de Cristo, Calpurnia despertó llorando.

Ella había soñado que el marido, acribillado a puñaladas, agonizaba en sus brazos.

Y Calpurnia le contó el sueño, y llorando le rogó que se quedara en casa, porque afuera le esperaba el cementerio.

Pero el pontífice máximo, el dictador vitalicio, el divino guerrero, el dios invicto, no podía hacer caso al sueño de una mujer.

Julio César la apartó de un manotazo, y hacia el Senado de Roma caminó su muerte.

Cuentacuentos

En estos días, y en otros también, celebran sus festivales los narradores que relatan cuentos a viva voz, escribiendo en el aire.

Los cuentacuentos tienen numerosas divinidades que los inspiran y los amparan.

Entre ellas, Rafuema, el abuelo que contó la historia del origen del pueblo uitoto, en la región colombiana de Araracuara.

Rafuema contó que los uitotos habían nacido de las palabras que contaban su nacimiento. Y cada vez que él lo contaba, los uitotos volvían a nacer.

Marzo
17

Ellos supieron escuchar

Carlos y Gudrun Lenkersdorf habían nacido y vivido en Alemania.

En el año 1973, estos ilustres profesores llegaron a México. Y entraron al mundo maya, a una comunidad tojolabal, y se presentaron diciendo:

—*Venimos a aprender.*

Los indígenas callaron.

Al rato, alguno explicó el silencio:

—*Es la primera vez que alguien nos dice eso.*

Y aprendiendo se quedaron allí, Gudrun y Carlos, durante años de años.

De la lengua maya aprendieron que no hay jerarquía que separe al sujeto del objeto, porque yo bebo el agua que me bebe y soy mirado por todo lo que miro, y aprendieron a saludar así:

—*Yo soy otro tú.*

—*Tú eres otro yo.*

Con los dioses adentro

En la cordillera de los Andes, los conquistadores españoles habían expulsado a los dioses indígenas.

Extirpada fue la idolatría.

Pero allá por el año 1560, los dioses regresaron. Viajaron con sus grandes alas, venidos no se sabe de dónde, y se metieron en los cuerpos de sus hijos, desde Ayacucho hasta Oruro, y en esos cuerpos bailaron. Las danzas, que bailaban la rebelión, fueron castigadas con el azote o la horca, pero no hubo manera de pararlas. Y siguieron anunciando el fin de la humillación.

En lengua quechua, la palabra *ñaupa* significa *fue*, pero también significa *será*.

Nacimiento del cine

En 1895, los hermanos Lumière, Louis y Auguste, filmaron un brevísimo cortometraje que mostraba la salida de los obreros en una fábrica de Lyon.

Esa película, la primera en la historia del cine, fue vista por muy pocos amigos, y por nadie más.

Por fin, el 28 de diciembre, los hermanos Lumière la ofrecieron al público, junto con otros nueve cortometrajes de su autoría, que también registraban fugaces momentos de la realidad.

En el subsuelo del Grand Café de París, se realizó el estreno mundial del prodigioso espectáculo hijo de la linterna mágica, la rueda de la vida y otras artes de los ilusionistas.

Lleno total. Treinta y cinco personas, a un franco por silla.

Georges Méliès fue uno de los espectadores. Quiso comprar la cámara filmadora. Como no se la vendieron, no tuvo más remedio que inventar una.

Marzo
20

El mundo al revés

El 20 de marzo del año 2003, los aviones de Irak bombardearon los Estados Unidos.

Tras las bombas, las tropas iraquíes invadieron el territorio norteamericano.

Hubo numerosos daños colaterales. Muchos civiles estadounidenses, en su mayoría mujeres y niños, perdieron la vida o fueron mutilados. Se desconoce la cifra exacta, porque la tradición manda contar las víctimas de las tropas invasoras y prohíbe contar las víctimas de la población invadida.

La guerra fue inevitable. La seguridad de Irak, y de la humanidad entera, estaba amenazada por las armas de destrucción masiva acumuladas en los arsenales de los Estados Unidos.

Ningún fundamento tenían, en cambio, los rumores insidiosos que atribuían a Irak la intención de quedarse con el petróleo de Alaska.

El mundo tal cual es

La segunda guerra mundial fue la que más gente mató en toda la historia de las carnicerías humanas, pero el conteo de las víctimas se quedó corto.

Muchos soldados de las colonias no figuraron en las listas de los muertos. Eran los nativos australianos, hindúes, birmanos, filipinos, argelinos, senegaleses, vietnamitas, y tantos otros negros, marrones y amarillos obligados a morir por las banderas de sus amos.

Cotizaciones: hay vivientes de primera, segunda, tercera y cuarta categoría.

A los muertos les pasa lo mismo.

Día del agua

De agua somos.

Del agua brotó la vida. Los ríos son la sangre que nutre la tierra, y están hechas de agua las células que nos piensan, las lágrimas que nos lloran y la memoria que nos recuerda.

La memoria nos cuenta que los desiertos de hoy fueron los bosques de ayer, y que el mundo seco supo ser mundo mojado, en aquellos remotos tiempos en que el agua y la tierra eran de nadie y eran de todos.

¿Quién se quedó con el agua? El mono que tenía el garrote. El mono desarmado murió de un garrotazo. Si no recuerdo mal, así comenzaba la película *2001, Odisea del espacio.*

Algún tiempo después, en el año 2009, una nave espacial descubrió que hay agua en la luna. La noticia apresuró los planes de conquista.

Pobre luna.

Marzo
23

Por qué masacramos a los indios

En el año 1982, el general Efraín Ríos Montt volteó a otro general, mediante una certera zancadilla, y se proclamó presidente de Guatemala.

Un año y medio después, el presidente, pastor de la Iglesia del Verbo, con sede en California, se atribuyó la victoria en la guerra santa que exterminó cuatrocientas cuarenta comunidades indígenas.

Según él, esa hazaña no hubiera sido posible sin la ayuda del Espíritu Santo, que dirigía sus servicios de inteligencia. Otro importante colaborador, su asesor espiritual Francisco Bianchi, explicó a un corresponsal del diario *The New York Times*:

—La guerrilla tiene muchos colaboradores entre los indios. Esos indios son subversivos, ¿verdad? ¿Y cómo acabar con la subversión? Es evidente que hay que matar a esos indios. Y luego se dirá: "Están masacrando inocentes". Pero no son inocentes.

Marzo
24

Por qué desaparecimos
a los desaparecidos

En el día de hoy del año 1976, nació la dictadura militar que desapareció a miles de argentinos.

Veinte años después, el general Jorge Rafael Videla explicó al periodista Guido Braslavsky:

—No, no se podía fusilar. Pongamos un número, pongamos cinco mil. La sociedad argentina no se hubiera bancado los fusilamientos: ayer dos en Buenos Aires, hoy seis en Córdoba, mañana cuatro en Rosario, y así hasta cinco mil... No, no se podía. ¿Y dar a conocer dónde están los restos? Pero, ¿qué es lo que podemos señalar? ¿En el mar, en el Río de la Plata, en el Riachuelo? Se pensó, en su momento, dar a conocer las listas. Pero luego se planteó: si se dan por muertos, enseguida vienen las preguntas, que no se pueden responder: quién mató, cuándo, dónde, cómo...

Marzo
25

La anunciación

En algún día como hoy, día más, día menos, el arcángel Gabriel bajó del cielo y la Virgen María se enteró de que el hijo de Dios habitaba su vientre.

Las reliquias de la Virgen se veneran, ahora, en numerosas iglesias del mundo:

zapatillas y pantuflas que ella usó;

camisones y vestidos que fueron suyos;

cofias, diademas, peines;

velos y cabellos;

huellas de la leche que dio de mamar a Jesús

y sus cuatro anillos nupciales, aunque ella se casó una sola vez.

Libertadoras mayas

En esta noche de 1936, fue muerta a pedradas Felipa Poot, indígena maya, en el pueblo de Kinchil.

En la pedrea, cayeron con ella tres compañeras, también mayas, que a su lado luchaban contra la tristeza y el miedo.

Las mató *la casta divina,* como se llamaban a sí mismos los dueños de la tierra y de la gente de Yucatán.

Día del teatro

En el año 2010, la empresa Murray Hill Inc. exigió que se dejaran de hacer teatro los políticos que simulan gobernar.

Poco antes, la Suprema Corte de Justicia de los Estados Unidos había declarado que no violan la ley las empresas que financian las campañas electorales de los políticos; y desde mucho antes, ya eran legales los sobornos que los legisladores reciben a través de los *lobbies*.

Aplicando el sentido común, Murray Hill Inc. anunció que presentaría su candidatura al Congreso de los Estados Unidos, por el estado de Maryland. Ya era llegada la hora de prescindir de los intermediarios:

—*Es nuestra democracia. Nosotros la compramos. Nosotros la pagamos. ¿Por qué no ponernos al volante? Voten por nosotros, para tener la mejor democracia que el dinero puede comprar.*

Mucha gente pensó que era una broma. ¿Era?

La fabricación de África

En 1932, poco después de su estreno, *Tarzán, el hombre mono* convocaba multitudes que hacían largas colas en los cines.

Desde entonces, Tarzán fue Johnny Weissmuller, nacido en Rumania, y su aullido, difundido desde Hollywood, fue el idioma universal del África, aunque él nunca había estado allí.

Tarzán no tenía un vocabulario muy rico, sólo sabía decir *Me Tarzan, you Jane*, pero nadaba como nadie, ganó cinco medallas de oro en las olimpíadas, y gritaba como nadie nunca había gritado.

Ese aullido del rey de la selva era obra de Douglas Shearer, un experto en sonido que supo mezclar voces de gorilas, hienas, camellos, violines, sopranos y tenores.

Hasta el último de sus días, Johnny Weissmuller tuvo que soportar el asedio de las admiradoras que le rogaban que aullara.

Marzo
29

Aquí hubo una selva

Milagro en la jungla amazónica: en el año 1967, un gran chorro de petróleo brotó del Lago Agrio.

A partir de entonces, la empresa Texaco se sentó a la mesa, servilleta al cuello y tenedor en mano, se hartó de engullir petróleo y gas durante un cuarto de siglo, y cagó sobre la selva ecuatoriana setenta y siete mil millones de litros de veneno.

Los indígenas no conocían la palabra *contaminación*. La aprendieron cuando los peces morían panza arriba en los ríos, las lagunas se volvían saladas, se secaban los árboles de las orillas, los animales huían, la tierra ya no daba frutos y la gente nacía enferma.

Varios presidentes de Ecuador, todos ellos a salvo de cualquier sospecha, colaboraron en la tarea, que fue desinteresadamente aplaudida por los publicistas que la exaltaron, los periodistas que la decoraron, los abogados que la defendieron, los expertos que la justificaron y los científicos que la absolvieron.

Marzo
30

Día del servicio doméstico

Maruja no tenía edad.

De sus años de antes, nada contaba. De sus años de después, nada esperaba.

No era linda, ni fea, ni más o menos.

Caminaba arrastrando los pies, empuñando el plumero, o la escoba, o el cucharón.

Despierta, hundía la cabeza entre los hombros.

Dormida, hundía la cabeza entre las rodillas.

Cuando le hablaban, miraba el suelo, como quien cuenta hormigas.

Había trabajado en casas ajenas desde que tenía memoria.

Nunca había salido de la ciudad de Lima.

Mucho trajinó, de casa en casa, y en ninguna se hallaba. Por fin, encontró un lugar donde fue tratada como si fuera persona.

A los pocos días, se fue.

Se estaba encariñando.

Esa pulga

En 1631, John Donne murió en Londres. Este contemporáneo de Shakespeare no publicó nada, o casi nada.

Siglos después, tenemos la suerte de conocer algunos de los versos que dejó.

Como éstos:

> *Dos veces te amé, o tres veces,*
> *cuando no conocía tu cara ni tu nombre.*

O éstos:

> *Me mordió a mí, y ahora a ti,*
> *y en esta pulga se mezclan nuestras sangres.*
> *Esta pulga soy yo, y eres tú*
> *y ella es nuestro lecho de bodas,*
> *el templo nuestro.*

Abril

Abril
1

El primer obispo

En 1553, el primer obispo de Brasil, Pedro Sardina, desembarcó en estas tierras. Tres años después, al sur de Alagoas, fue comido por los indios caetés.

Algunos brasileños opinan que ese almuerzo fue un invento, un pretexto del poder colonial para robar las tierras de los caetés y exterminarlos a lo largo de una larga *guerra santa*. Otros brasileños, en cambio, creen que esa historia ocurrió tal como se cuenta. El obispo Sardina, que en el nombre llevaba su destino, fue el involuntario fundador de la gastronomía nacional.

Abril
2

La fabricación de la opinión pública

En 1917, el presidente Woodrow Wilson anunció que los Estados Unidos iban a entrar en la primera guerra mundial.

Cuatro meses y medio antes, Wilson había sido reelegido por ser *el candidato de la paz*.

La opinión pública recibió sus discursos pacifistas y su declaración de guerra con el mismo entusiasmo.

Edward Bernays fue el principal autor de este milagro. Cuando la guerra terminó, Bernays reconoció públicamente que habían sido inventadas las fotos y las anécdotas que encendieron el espíritu bélico de las masas.

Este éxito publicitario inauguró una brillante carrera. Bernays se convirtió en el asesor de varios presidentes y de los empresarios más poderosos del mundo.

La realidad no es lo que es, sino lo que te digo que es: él desarrolló mejor que nadie las técnicas modernas de manipulación colectiva, que empujan a la gente a comprar un jabón o una guerra.

Buenos muchachos

En 1882, una bala entró en la nuca de Jesse James. La disparó su mejor amigo, para cobrar la recompensa.

Antes de convertirse en el más famoso bandolero, Jesse había combatido contra el presidente Lincoln, en las filas del ejército esclavista del sur. Cuando los suyos perdieron la guerra, no tuvo más remedio que cambiar de trabajo. Así nació la banda de Jesse James.

La banda, que usaba máscaras del Ku Klux Klan, inició sus actividades asaltando un tren por primera vez en la historia de los Estados Unidos; y tras desplumar a todos los pasajeros, se dedicó a desvalijar bancos y diligencias.

La leyenda cuenta que Jesse fue algo así como un Robin Hood del Salvaje Oeste, que robaba a los ricos para ayudar a los pobres, pero nunca nadie conoció a un pobre que hubiera recibido una moneda de sus manos.

En cambio, sí está probado que él ayudó mucho a Hollywood. La industria del cine le debe cuarenta películas, casi todas exitosas, donde los más famosos astros, desde Tyrone Power hasta Brad Pitt, han empuñado su revólver humeante.

El fantasma

En 1846 nació Isidore Ducasse.

Eran tiempos de guerra en Montevideo, y fue bautizado a cañonazos.

No bien pudo se marchó a París. Allí se convirtió en el Conde de Lautréamont, y sus pesadillas contribuyeron a la fundación del surrealismo.

En el mundo estuvo de visita nomás: en su breve vida incendió el lenguaje, en sus palabras ardió, y se hizo humo.

Abril
5

Día de la luz

Ocurrió en África, en Ifé, ciudad sagrada del reino de los yorubas, quizás un día como hoy, o quién sabe cuándo.

Un viejo, ya muy enfermo, reunió a sus tres hijos, y les anunció:

—*Mis cosas más queridas serán de quien pueda llenar completamente esta sala.*

Y esperó afuera, sentado, mientras caía la noche.

Uno de los hijos trajo toda la paja que pudo reunir, pero la sala quedó llena hasta la mitad.

Otro trajo toda la arena que pudo juntar, pero la mitad de la sala quedó vacía.

El tercer hijo encendió una vela.

Y la sala se llenó.

Travesía de la noche

En ciertos pueblos perdidos en las montañas de Guatemala, manos anónimas crean los muñequitos quitapenas.

Ellos son un santo remedio contra las preocupaciones: despreocupan a los preocupados y los salvan de la peste del insomnio.

Los muñequitos quitapenas no dicen nada. Ellos curan escuchando. Agazapados bajo la almohada, escuchan los pesares y los penares, las dudas y las deudas, tormentos que acosan el dormir humano, y mágicamente se los llevan lejos, muy lejos, al secreto lugar donde ninguna noche es enemiga.

Abril
7

La cuenta del doctor

Hace tres mil setecientos años, el rey de Babilonia, Hammurabi, estableció por ley las tarifas médicas, dictadas por los dioses:

Si el médico ha curado con su lanceta de bronce una herida grave o el absceso en un ojo de un hombre libre, recibirá diez shekels de plata.

Si el paciente es de familia pobre, el médico recibirá cinco shekels de plata.

Si el paciente es esclavo de un hombre libre, su señor pagará al médico dos shekels de plata.

Serán cortadas las manos del médico si su tratamiento ha causado la muerte de un hombre libre, o le ha provocado la pérdida de un ojo.

Si el tratamiento ha causado la muerte del esclavo de un hombre pobre, el médico le entregará un esclavo suyo. Si el tratamiento ha causado la pérdida de un ojo del esclavo, el médico pagará la mitad del precio del esclavo.

Abril
8

El hombre que nació muchas veces

Hoy murió, en 1973, Pablo Diego José Francisco de Paula Juan Nepomuceno María de los Remedios Cipriano de la Santísima Trinidad Ruiz y Picasso, más conocido como Pablo Picasso.

Había nacido en 1881. Y se ve que le gustó, porque siguió naciendo.

Abril
9

La buena salud

En el año 2011, por segunda vez la población de Islandia dijo no a las órdenes del Fondo Monetario Internacional.

El Fondo y la Unión Europea habían resuelto que los trescientos veinte mil habitantes de Islandia debían hacerse cargo de la bancarrota de los banqueros, y pagar sus deudas internacionales a doce mil euros por cabeza.

Esta socialización al revés fue rechazada en dos plebiscitos:

—*Esa deuda no es nuestra deuda. ¿Por qué vamos a pagarla nosotros?*

En un mundo enloquecido por la crisis financiera, la pequeña isla perdida en las aguas del norte nos dio, a todos, una saludable lección de sentido común.

**Abril
10**

La fabricación de enfermedades

¿Buena salud? ¿Mala salud? Todo depende del punto de vista. Desde el punto de vista de la gran industria farmacéutica, la mala salud es muy saludable.

La timidez, pongamos por caso, podía resultar simpática, y quizás atractiva, hasta que se convirtió en enfermedad. En el año 1980, la American Psychiatric Association decidió que la timidez es una enfermedad psiquiátrica y la incluyó en su *Manual de Alteraciones Mentales,* que periódicamente ponen al día los sacerdotes de la Ciencia.

Como toda enfermedad, la timidez necesita medicamentos. Desde que se conoció la noticia, los grandes laboratorios han ganado fortunas vendiendo esperanzas de curación a los pacientes apestados por esta *fobia social, alergia a la gente, dolencia médica severa...*

Abril
11

Miedos de comunicación

En el día de hoy del año 2002, un golpe de Estado convirtió al presidente de los empresarios en presidente de Venezuela.

Poco le duró la gloria. Un par de días después, los venezolanos, volcados a las calles, restituyeron al presidente elegido por sus votos.

Las grandes televisoras y las radios de mayor difusión de Venezuela habían celebrado el golpe, pero no se enteraron de que la pueblada había devuelto a Hugo Chávez a su legítimo lugar.

Por tratarse de una noticia desagradable, los medios de comunicación no la comunicaron.

La fabricación del culpable

Un día como hoy del año 33, día más, día menos, Jesús de Nazaret murió en la cruz.

Sus jueces lo condenaron por *incitación a la idolatría, blasfemias y superstición abominable.*

Unos siglos después, los indios de las Américas y los herejes de Europa fueron condenados por esos mismos crímenes, exactamente los mismos, y en nombre de Jesús de Nazaret se les aplicó castigo de azote, horca o fuego.

Abril
13

No supimos verte

En el año 2009, en el atrio del convento de Maní de Yucatán, cuarenta y dos frailes franciscanos cumplieron una ceremonia de desagravio a la cultura indígena:

—*Pedimos perdón al pueblo maya, por no haber entendido su cosmovisión, su religión, por negar sus divinidades; por no haber respetado su cultura, por haberle impuesto durante muchos siglos una religión que no entendían, por haber satanizado sus prácticas religiosas y por haber dicho y escrito que eran obra del Demonio y que sus ídolos eran el mismo Satanás materializado.*

Cuatro siglos y medio antes, en ese mismo lugar, otro fraile franciscano, Diego de Landa, había quemado los libros mayas, que guardaban ocho siglos de memoria colectiva.

¿Grandiosos o grandotes?

En el año 1588, fue vencida en pocas horas la *Armada Invencible,* la flota española que era la más grande del mundo.

En el año 1628, el más poderoso buque de guerra de Suecia, el *Vasa,* también llamado *Invencible,* se hundió en su viaje inaugural. Ni siquiera alcanzó a salir del puerto de Estocolmo.

Y en la noche de hoy del año 1912, chocó con un iceberg y se fue a pique el buque más lujoso y más seguro, humildemente llamado *Titanic.* Este palacio flotante tenía escasos botes salvavidas, su timón era tan pequeño que resultó inútil, sus vigías no usaban prismáticos y sus alarmas de peligro fueron escuchadas por nadie.

Las pinturas negras

En 1828, Francisco de Goya murió en el destierro. Acosado por la Inquisición, se había marchado a Francia.

En su agonía, Goya evocó, entre algunas palabras incomprensibles, su querida casa de las afueras de Madrid, a orillas del río Manzanares. Allí había quedado lo mejor de él, lo más suyo, pintado en las paredes.

Después de su muerte, esa casa fue vendida y revendida, con pinturas y todo, hasta que por fin las obras, desprendidas de los muros, pasaron al lienzo. En vano fueron ofrecidas en la Exposición Internacional de París. Nadie se interesó en ver, y mucho menos en comprar, esas feroces profecías del siglo siguiente, donde el dolor mataba al color y sin pudor el horror se mostraba en carne viva. Tampoco el Museo del Prado quiso comprarlas, hasta que a principios de 1882, entraron allí por donación.

Las llamadas *pinturas negras* ocupan, ahora, una de las salas más visitadas del museo.

—*Las pinto para mí* —había dicho Goya.

Él no sabía que las pintaba para nosotros.

El canto hondo

En el año 1881, Antonio Machado y Álvarez puso el
punto final a su antología de cantes flamencos, nove-
cientas coplas del canto gitano de Andalucía:

Eran sosas en lo antiguo
todas lus olas del mar,
pero escupió mi morena
y se volvieron salás.

Tienen las que son morenas
un mirar tan a lo extraño,
que matan en una hora
más que la muerte en un año.

El día que tú naciste
cayó un pedazo de cielo.
Hasta que tú no te mueras
no se tapará el agujero.

Y se publicó el libro, que fue recibido con desdén. El
cante jondo era digno de desprecio, por ser gitano. Pero
por ser gitanas, las coplas llevan la música adentro, en
sus palmas y en sus pies.

Abril
17

Caruso cantó y corrió

En esta noche de 1906, el tenor Enrico Caruso cantó la ópera *Carmen* en la sala Tívoli, en la ciudad de San Francisco.

La ovación lo acompañó hasta las puertas del hotel Palace.

Poco durmió el maestro del *bel canto*. Al filo del amanecer, una violenta sacudida lo volteó de la cama.

El terremoto, el peor de toda la historia de California, mató a más de tres mil personas y demolió la mitad de las casas de la ciudad.

Caruso se echó a correr y no se detuvo hasta llegar a Roma.

**Abril
18**

Ojo con él

Hoy murió, en 1955, Albert Einstein.

Hasta este día, y durante veintidós años, el FBI, Federal Bureau of Investigations, intervino su teléfono, leyó sus cartas y revisó sus tachos de basura.

Einstein fue espiado porque era espía. Espía de Moscú: eso decía su frondosa ficha policial. Y también decía que él había inventado un rayo exterminador y un robot capaz de leer la mente humana. Y decía que Einstein *fue miembro, colaborador o afiliado de treinta y cuatro frentes comunistas entre 1937 y 1954, dirigió honorariamente tres organizaciones comunistas, y no parece posible que un hombre con estos antecedentes pueda convertirse en un leal ciudadano americano.*

Ni la muerte lo salvó. Siguió siendo espiado. Ya no por el FBI, sino por sus colegas, los hombres de ciencia, que cortaron su cerebro en doscientos cuarenta trocitos y los analizaron en busca de la explicación de su genio.

No encontraron nada.

Ya Einstein había advertido:

—*Lo único que yo tengo de anormal es mi curiosidad.*

Abril
19

Los hijos de las nubes

En 1987, el reino de Marruecos culminó la construcción del muro que atraviesa el desierto del Sahara, de norte a sur, en tierras que no le pertenecen.

Éste es el muro más extenso del mundo, sólo superado por la antigua muralla china. Todo a lo largo, miles de soldados marroquíes cierran el paso de los saharauis hacia su patria usurpada.

Varias veces, vanas veces, las Naciones Unidas han confirmado el derecho a la autodeterminación del pueblo saharaui, y han apoyado un plebiscito: que la población del Sahara occidental decida su destino.

Pero el reino de Marruecos se ha negado y se sigue negando. Esa negativa equivale a una confesión. Negando el derecho de voto, Marruecos confiesa que ha robado un país.

Desde hace cuarenta años, los saharauis esperan. Están condenados a pena de angustia perpetua y de perpetua nostalgia.

Ellos se llaman *hijos de las nubes*, porque desde siempre persiguen la lluvia. También persiguen la justicia, más esquiva que el agua en el desierto.

Abril
20

La fabricación de papelones

Fue la mayor expedición militar de toda la historia del mar Caribe. Y el mayor fiasco.

Los dueños de Cuba, despojados, desalojados, proclamaban desde Miami que iban a morir peleando por la devolución, contra la revolución.

El gobierno norteamericano les creyó, y sus servicios de inteligencia demostraron, una vez más, que no merecían ese nombre.

El 20 de abril de 1961, tres días después del desembarco en la Bahía de Cochinos, los héroes, armados hasta los dientes, apoyados por barcos y aviones, se rindieron sin pelear.

Abril
21

El indignado

Ocurrió en España, en un pueblo de La Rioja, en el anochecer de hoy del año 2011, durante la procesión de Semana Santa.

Una multitud acompañaba, callada, el paso de Jesucristo y los soldados romanos que lo iban castigando a latigazos.

Y una voz rompió el silencio.

Montado en los hombros de su padre, Marcos Rabasco gritó al azotado:

—*¡Defiéndete! ¡Defiéndete!*

Marcos tenía dos años, cuatro meses y veintiún días de edad.

Día de la tierra

Einstein dijo, alguna vez:

—*Si las abejas desaparecieran, ¿cuántos años de vida le quedarían a la tierra? ¿Cuatro, cinco? Sin abejas no hay polinización, y sin polinización no hay plantas, ni animales, ni gente.*

Lo dijo en rueda de amigos.

Los amigos se rieron.

Él no.

Y ahora resulta que en el mundo hay cada vez menos abejas.

Y hoy, Día de la tierra, vale la pena advertir que eso no ocurre por voluntad divina ni maldición diabólica, sino

por el asesinato de los montes nativos y la proliferación de los bosques industriales;

por los cultivos de exportación, que prohíben la diversidad de la flora;

por los venenos que matan las plagas y de paso matan la vida natural;

por los fertilizantes químicos, que fertilizan el dinero y esterilizan el suelo,

y por las radiaciones de algunas máquinas que la publicidad impone a la sociedad de consumo.

La fama es puro cuento

Hoy, Día del libro, no viene mal recordar que la historia de la literatura es una paradoja incesante.

¿Cuál es el episodio más popular de la Biblia? Adán y Eva mordiendo la manzana. En la Biblia, no está.

Platón nunca escribió su famosa frase:

Sólo los muertos han visto cómo termina la guerra.

Don Quijote de La Mancha nunca dijo:

Ladran, Sancho, señal que cabalgamos.

No fue dicha ni escrita por Voltaire su frase más conocida:

No estoy de acuerdo con lo que dices, pero defendería hasta la muerte tu derecho a decirlo.

Georg Friedrich Hegel nunca escribió:

Gris es la teoría, y verde el árbol de la vida.

Sherlock Holmes jamás dijo:

Elemental, mi querido Watson.

En ninguno de sus libros, ni panfletos, Lenin escribió:

El fin justifica los medios.

Bertolt Brecht no fue el autor de su poema más celebrado:

Primero se llevaron a los comunistas/ pero a mí no me importó/ porque yo no era comunista...

Jorge Luis Borges no fue el autor de su más difundido poema:

Si pudiera vivir nuevamente mi vida/ trataría de cometer más errores...

Abril
24

El peligro de publicar

En el año 2004, el gobierno de Guatemala quebrantó por una vez la tradición de impunidad del poder, y oficialmente reconoció que Myrna Mack había sido asesinada por orden de la presidencia del país.

Myrna había cometido una búsqueda prohibida. A pesar de las amenazas, se había metido en las selvas y las montañas donde deambulaban, exiliados en su propio país, los indígenas que habían sobrevivido a las matanzas militares. Y había recogido sus voces.

En 1989, en un congreso de ciencias sociales, un antropólogo de los Estados Unidos se había quejado de la presión de las universidades que obligaban a producir continuamente:

—*En mi país* —dijo—, *si no publicas estás muerto.*

Y Myrna dijo:

—*En mi país, estás muerto si publicas.*

Ella publicó.

La mataron a puñaladas.

No me salven, por favor

En estos días de 1951, Mohamad Mossadegh fue elegido primer ministro de Irán, por abrumadora mayoría de votos.

Mossadegh había prometido que devolvería a Irán el petróleo que había sido regalado al imperio británico, y puso manos a la obra.

Pero la nacionalización del petróleo podía generar un caos propicio a la penetración comunista. Entonces el presidente Eisenhower dio la orden de ataque y los Estados Unidos salvaron a Irán: en 1953, un golpe de Estado envió a Mossadegh a la cárcel, mandó al cementerio a muchos de sus seguidores y otorgó a las empresas norteamericanas el cuarenta por ciento del petróleo que Mossadegh había nacionalizado.

Al año siguiente, muy lejos de Irán, el presidente Eisenhower dio otra orden de ataque y los Estados Unidos salvaron a Guatemala. Un golpe de Estado derribó el gobierno de Jacobo Arbenz, democráticamente electo, porque había expropiado las tierras no cultivadas de la United Fruit Company y estaba generando un caos propicio a la penetración comunista.

Guatemala sigue pagando ese favor.

Abril
26

Aquí no ha pasado nada

Ocurrió en Chernobyl, Ucrania, en 1986.

Fue la más grave catástrofe nuclear hasta entonces padecida en el mundo entero, pero los pájaros que huyeron y los gusanos que se hundieron bajo tierra fueron los únicos que informaron de la tragedia desde el primer instante.

El gobierno soviético dictó orden de silencio.

La lluvia radiactiva invadió buena parte de Europa y el gobierno seguía negando o callando.

Un cuarto de siglo después, en Fukushima, estallaron varios reactores nucleares y el gobierno japonés también calló o negó *las versiones alarmistas.*

Razón tenía el veterano periodista inglés Claude Cockburn cuando aconsejaba:

—*No creas nada hasta que sea oficialmente desmentido.*

**Abril
27**

Las vueltas de la vida

El Partido Conservador gobernaba Nicaragua cuando en este día de 1837 se reconoció a las mujeres el derecho de abortar si su vida corría peligro.

Ciento setenta años después, en ese mismo país, los legisladores que decían ser revolucionarios sandinistas prohibieron el aborto *en cualquier circunstancia,* y así condenaron a las mujeres pobres a la cárcel o al cementerio.

Abril
28

Este inseguro mundo

Hoy, Día de la seguridad en el trabajo, vale la pena advertir que hoy por hoy no hay nada más inseguro que el trabajo. Cada vez son más y más los trabajadores que despiertan, cada día, preguntando:

—*¿Cuántos sobraremos? ¿Quién me comprará?*

Muchos pierden el trabajo y muchos pierden, trabajando, la vida: cada quince segundos muere un obrero, asesinado por eso que llaman *accidentes de trabajo*.

La inseguridad pública es el tema preferido de los políticos que desatan la histeria colectiva para ganar elecciones. Peligro, peligro, proclaman: en cada esquina acecha un ladrón, un violador, un asesino. Pero esos políticos jamás denuncian que trabajar es peligroso,

y es peligroso cruzar la calle, porque cada veinticinco segundos muere un peatón, asesinado por eso que llaman *accidente de tránsito*;

y es peligroso comer, porque quien está a salvo del hambre puede sucumbir envenenado por la comida química;

y es peligroso respirar, porque en las ciudades el aire puro es, como el silencio, un artículo de lujo;

y también es peligroso nacer, porque cada tres segundos muere un niño que no ha llegado vivo a los cinco años de edad.

Abril
29

Ella no olvida

¿Quién conoce y reconoce los atajos de la selva africana?

¿Quién sabe evitar la peligrosa cercanía de los cazadores de marfiles y otras fieras enemigas?

¿Quién reconoce las huellas propias y las ajenas?

¿Quién guarda la memoria de todas y de todos?

¿Quién emite esas señales que los humanos no sabemos escuchar ni descifrar?

¿Esas señales que alarman o ayudan o amenazan o saludan a más de veinte kilómetros de distancia?

Es ella, la elefanta mayor. La más vieja, la más sabia.

La que camina a la cabeza de la manada.

Las rondas de la memoria

Esta tarde del año 1977, se reunieron por primera vez catorce madres de hijos desaparecidos.

Desde entonces, buscaron juntas, juntas golpearon las puertas que no se abrían:

—*Todas por todas* —decían.

Y decían:

—*Todos son nuestros hijos.*

Miles y miles de hijos habían sido devorados por la dictadura militar argentina y más de quinientos niños habían sido repartidos como botín de guerra, y ni una palabra decían los diarios, las radios, ni los canales de televisión.

Unos meses después de la primera reunión, tres de aquellas madres, Azucena Villaflor, Esther Ballestrino y María Eugenia Ponce, desaparecieron también, como sus hijos, y como ellos fueron torturadas y asesinadas.

Pero ya era imparable la ronda de los jueves. Los pañuelos blancos daban vueltas y más vueltas a la Plaza de Mayo, y al mapa del mundo.

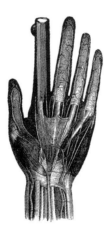

Mayo

Mayo
1

Día de los trabajadores

Tecnología del vuelo compartido: el primer pato que levanta vuelo abre paso al segundo, que despeja el camino al tercero, y la energía del tercero alza al cuarto, que ayuda al quinto, y el impulso del quinto empuja al sexto, que presta viento al séptimo...

Cuando se cansa, el pato que hace punta baja a la cola de la bandada y deja su lugar a otro, que sube al vértice de esa V que los patos dibujan en el aire. Todos se van turnando, atrás y adelante; y ninguno se cree superpato por volar adelante, ni subpato por marchar atrás.

Mayo
2

Operación Gerónimo

Gerónimo había encabezado la resistencia de los indios apaches en el siglo diecinueve.

Este jefe de los invadidos siempre tuvo mala fama, porque su coraje y su astucia habían vuelto locos a los invasores durante muchos años; y en el siglo siguiente, él fue el más malo de los malos en las películas del Far West.

Siguiendo esa tradición, el gobierno de los Estados Unidos llamó *Operación Gerónimo* al fusilamiento de Osama Bin Laden, acribillado y desaparecido en el día de hoy del año 2011.

Pero, ¿qué tenía que ver Gerónimo con Bin Laden, el delirante califa fabricado en los laboratorios militares de los Estados Unidos? ¿En qué se parecía Gerónimo al asustador profesional que anunciaba que iba a comerse a todos los niños crudos cada vez que un presidente norteamericano necesitaba justificar una nueva guerra?

El nombre elegido no era inocente: estaba diciendo que habían sido terroristas los guerreros indígenas que defendieron su dignidad y sus tierras contra la conquista extranjera.

Mayo
3

La deshonra

A fines de 1979, las tropas soviéticas invadieron Afganistán.

Según la explicación oficial, la invasión quería defender al gobierno laico que estaba intentando modernizar el país.

Yo fui uno de los miembros del tribunal internacional que en Estocolmo se ocupó del tema, en el año 1981.

Nunca olvidaré el momento culminante de aquellas sesiones.

Daba su testimonio un alto jefe religioso, representante de los fundamentalistas islámicos, que en aquel entonces eran llamados *freedom fighters,* guerreros de la libertad, y ahora son *terroristas.*

Aquel anciano tronó:

—*¡Los comunistas han deshonrado a nuestras hijas!*

¡Les han enseñado a leer y a escribir!

Mientras dure la noche

En 1937 murió, a los veintiséis años, Noel Rosa.
Este músico de la noche de Río de Janeiro, que en
vida conoció la playa sólo por fotos, escribió y cantó
sambas en los bares de la ciudad que los canta todavía.
En uno de esos bares un amigo lo encontró, a la noc-
turna hora de las diez de la mañana.
Noel tarareaba una canción recién parida.
En la mesa había dos botellas. Una de cerveza y otra
de aguardiente de caña.
El amigo sabía que la tuberculosis lo estaba matando.
Noel le adivinó la preocupación en la cara, y se sintió
obligado a dictarle una lección sobre las propiedades
nutritivas de la cerveza. Señalando la botella, sentenció:
—*Esto alimenta más que un plato de buena comida.*
El amigo, no muy convencido, apuntó a la botella de
caña:
—*¿Y esto?*
Y Noel explicó:
—*Es que no tiene gracia comer sin alguna cosita que*
acompañe.

Mayo
5

Cantando maldigo

En 1932, Noel Rosa grabó el samba *¿Quién da más?*
Abreviada historia de un país que había sido enviado
a remate:

> *¿Cuánto va a ganar el rematador*
> *que es también brasilero*
> *y en tres lotes vendió*
> *el Brasil entero?*

Y un par de años después, Enrique Santos Discépolo
retrató, en su tango *Cambalache,* el tiempo de la infamia
en Argentina:

> *Hoy resulta que es lo mismo*
> *ser derecho que traidor,*
> *ignorante, sabio, chorro,*
> *generoso, estafador.*
> *Dale nomás, dale que va…*

Mayo
6

Apariciones

El derrumbamiento de Wall Street había dejado sin trabajo al periodista Jonathan Tilove.

Pero en el año 2009, cuando Jonathan estaba vaciando su oficina en Washington, descubrió a la Virgen María en una mancha de café sobre el escritorio; y esa revelación le cambió la suerte.

En plena crisis, cuando ya nadie creía en los economistas, ni en los políticos, ni en los periodistas, más de uno había encontrado a la Virgen en un sándwich de queso, en una planta de espárragos o en una radiografía dental.

Mayo
7

Los aguafiestas

En 1954, los rebeldes vietnamitas propinaron tremenda paliza a los militares franceses en su invulnerable cuartel de Dien Bien Phu. Y al cabo de un siglo de conquistas coloniales, la gloriosa Francia tuvo que salir corriendo de Vietnam.

Después, fue el turno de los Estados Unidos. Cosa de no creer: la primera potencia del mundo y de todo el espacio sideral sufrió también la humillación de la derrota en este país minúsculo, mal armado, poblado por pobres muy pobres.

Un campesino, lentos andares, palabras pocas, encabezó estas dos hazañas.

Se llamaba Ho Chi Minh, lo llamaban *el tío Ho*.

El tío Ho se parecía poco a los jefes de otras revoluciones.

En cierta ocasión, un militante volvió de una aldea y le informó que no había manera de organizar a esa gente:

—*Son unos budistas atrasados, se pasan todo el día meditando.*

—*Vuelva y medite* —mandó el tío Ho.

El demonio de Tasmania

Es famoso en el mundo este monstruo diabólico, de fauces abiertas y dientes rompehuesos.

Pero el verdadero demonio de Tasmania no vino del Infierno: fue el imperio británico quien exterminó a la población de esta isla, vecina de Australia, con el noble propósito de civilizarla.

La última víctima de la guerra inglesa de conquista se llamaba Truganini. Esta reina despojada de su reino murió en el día de hoy de 1876, y con ella murieron la lengua y la memoria de su gente.

Nació para encontrarlo

Howard Carter nació en la mañana de hoy de 1874, y medio siglo después supo para qué había llegado al mundo.

Esa revelación ocurrió cuando encontró la tumba de Tutankamón.

Carter la descubrió de puro porfiado, al cabo de años de mucho trajinar peleando contra el desaliento y los malos augurios de los expertos egiptólogos.

El día del gran hallazgo, se sentó al pie de ese faraón de vida fugaz, ese muchacho rodeado de mil maravillas, y pasó horas y horas en silencio.

Y regresó muchas veces.

En una de esas veces, vio lo que antes no había visto: había unas semillas caídas en el suelo.

Las semillas llevaban tres mil doscientos años esperando la mano que las plantara.

Mayo
10

El imperdonable

El poeta Roque Dalton era jodón y respondón. Nunca aprendió a callar ni a obedecer, y ejercía un desafiante sentido del humor y del amor.

En la noche de hoy del año 1975, sus compañeros de la guerrilla de El Salvador lo mataron de un balazo mientras dormía.

Criminales: los militantes que matan para castigar la discrepancia son tan criminales como los militares que matan para perpetuar la injusticia.

Mayo
11

El todero

Eugène François Vidocq murió en París, en 1857.

Desde que asaltó, a los catorce años, la panadería de su padre, Eugène fue ladrón, saltimbanqui, espadachín, soldado desertor, contrabandista, maestro de colegio loco por las niñas, ídolo de los burdeles, empresario, delator, espía, criminólogo, experto en balística, director de la Sûreté Générale, la policía francesa de investigaciones, y fundador de la primera agencia de detectives privados.

Veinte veces se batió a duelo, y se fugó de cinco cárceles, convertido en monja o en mutilado de guerra. Fue un mago del disfraz, delincuente disfrazado de policía, policía disfrazado de delincuente, y fue amigo de sus enemigos y enemigo de sus amigos.

Sherlock Holmes y otros famosos detectives de la literatura europea debieron buena parte de sus habilidades a las trampas que Vidocq aprendió practicando el crimen, y que luego aplicó para combatirlo.

Mayo
12

Los sismógrafos vivientes

En el año 2008, un terremoto feroz sacudió a China. En China había sido inventado el sismógrafo, hacía diecinueve siglos, pero ningún sismógrafo avisó lo que se venía.

Los que sí avisaron fueron los animales. Los científicos no les prestaron la menor atención. Desde unos días antes de la catástrofe, multitudes de sapos enloquecidos se echaron a correr, rumbo a ninguna parte, y a toda velocidad atravesaron las calles de Miauzhu y otras ciudades, mientras en el zoológico de Wuhan los elefantes y las cebras embestían los barrotes de las jaulas y rugían los tigres y gritaban los pavos reales.

Mayo
13

Para que cantes, para que veas

Para que veas los mundos del mundo, cambia tus ojos. Para que los pájaros escuchen tu canto, cambia tu garganta.

Eso dicen, eso saben, los antiguos sabios nacidos en las fuentes del río Orinoco.

Mayo
14

La deuda ajena

En el día de hoy de 1948, nació el estado de Israel. Pocos meses después, ya había más de ochocientos mil palestinos expulsados, y más de quinientas aldeas demolidas.

Esas aldeas, donde crecían los olivos, las higueras, los almendros y los árboles frutales, yacen sepultadas bajo las autopistas, los centros comerciales y los parques de diversiones. Son muertas sin nombre. El Comité de Nombres de las nuevas autoridades ha rebautizado el mapa.

Ya poca Palestina queda. La implacable devoración del mapa invoca títulos de propiedad, generosamente otorgados por la Biblia, y se justifica por los dos mil años de persecución que el pueblo judío sufrió.

La cacería de judíos fue, siempre, una costumbre europea; pero los palestinos pagan esa deuda ajena.

Que mañana no sea otro nombre de hoy

En el año 2011, miles de jóvenes, despojados de sus casas y sus empleos, ocuparon las plazas y las calles de varias ciudades de España.

Y la indignación se difundió. La buena salud resultó más contagiosa que las pestes, y las voces de *los indignados* atravesaron las fronteras dibujadas en los mapas. Así resonaron en el mundo:

Nos dijeron "¡a la puta calle!", y aquí estamos.

Apaga la tele y enciende la calle.

La llaman crisis, pero es estafa.

No falta dinero: sobran ladrones.

Los mercados gobiernan. Yo no los voté.

Ellos toman decisiones por nosotros, sin nosotros.

Se alquila esclavo económico.

Estoy buscando mis derechos. ¿Alguien los ha visto?

Si no nos dejan soñar, no los dejaremos dormir.

Mayo
16

Marche al manicomio

Los meros y otros peces,
los delfines,
los cisnes, los flamencos, los albatros,
los pingüinos,
los bisontes,
las avestruces,
los osos koalas,
los orangutanes y otros monos,
las mariposas y otros insectos
y muchos más parientes nuestros del reino animal
tienen relaciones homosexuales, hembra con hembra,
macho con macho, por un rato o para siempre.

Menos mal que no son personas: se salvaron del manicomio.

Hasta el día de hoy del año 1990, la homosexualidad integró la lista de enfermedades mentales de la Organización Mundial de la Salud.

Mayo
17

La morada humana

Ya el siglo veintiuno lleva unos años caminando en el tiempo, y suman mil millones las gentes sin casa.

Buscando solución a este problema, los expertos están estudiando el cristiano ejemplo de san Simeón, que vivió treinta y siete años domiciliado en una columna.

En las mañanas, san Simeón bajaba, para rezar sus oraciones, y en las noches se ataba, en lo alto de la columna, para no caerse mientras dormía.

Mayo
18

El viaje de la memoria

En 1781, Túpac Amaru fue descuartizado, a golpes de hacha, en el centro de la Plaza de Armas del Cuzco.

Dos siglos después, un niño descalzo lustraba zapatos en ese exacto lugar, cuando un turista le peguntó si conocía a Túpac Amaru. Y el pequeño lustrabotas, sin alzar la cabeza, dijo que si lo conocía. Casi en secreto, mientras hacía su trabajo, murmuró:

—*Viento es.*

Mayo
19

El profeta Mark

Mark Twain había anunciado:

—*Yo llegué con el cometa Halley, en 1835. El cometa volverá en 1910, y yo espero irme con él. Sin duda, el Todopoderoso ha dicho: "He aquí dos anormalidades inexplicables. Han llegado juntas, y juntas se irán".*

El cometa visitó la tierra en estos días de 1910. Twain, impaciente, se había ido un mes antes.

Un raro acto de cordura

En 1998, Francia dictó la ley que redujo a treinta y cinco horas semanales el horario de trabajo.

Trabajar menos, vivir más: Tomás Moro lo había soñado, en su *Utopía,* pero hubo que esperar cinco siglos para que por fin una nación se atreviera a cometer semejante acto de sentido común.

Al fin y al cabo, ¿para qué sirven las máquinas si no es para reducir el tiempo de trabajo y ampliar nuestros espacios de libertad? ¿Por qué el progreso tecnológico tiene que regalarnos desempleo y angustia?

Por una vez, al menos, hubo un país que se atrevió a desafiar tanta sinrazón.

Pero poco duró la cordura. La ley de las treinta y cinco horas murió a los diez años.

Mayo
21

Día de la diversidad cultural

En 1906, un pigmeo cazado en la selva del Congo llegó al zoológico del Bronx, en Nueva York. Fue llamado Ota Benga, y fue exhibido al público, en una jaula, junto con un orangután y cuatro chimpancés. Los expertos explicaban al público que este humanoide podía ser el eslabón perdido, y para confirmar esa sospecha lo mostraban jugando con sus hermanos peludos.

Algún tiempo después, el pigmeo fue rescatado por la caridad cristiana. Se hizo lo que se pudo, pero no hubo manera. Ota Benga se negaba a ser salvado. No hablaba, en la mesa rompía los platos, golpeaba a quien quisiera tocarlo, era incapaz de realizar ningún trabajo, se quedaba mudo en el coro de la iglesia y mordía a quien quisiera fotografiarse con él.

Al fin del invierno de 1916, tras diez años de domesticación, Ota Benga se sentó frente al fuego, se desnudó, quemó la ropa que le obligaban a vestir y apuntó al corazón la pistola que había robado.

Tintín entre los salvajes

Hoy nació, en 1907, el dibujante belga Hergé, papá de Tintín.

Tintín, héroe de historieta, encarnó las virtudes civilizadoras de la raza blanca.

En su aventura más exitosa, Tintín visitó el Congo, que todavía era propiedad de Bélgica, y allí se rió mucho de las ridiculeces de los negros y se entretuvo cazando.

Fusiló a quince antílopes, desolló a un mono para disfrazarse con su piel, hizo estallar un rinoceronte con un cartucho de dinamita y disparó a la boca abierta de muchos cocodrilos.

Tintín decía que los elefantes hablaban francés mucho mejor que los negros. Para llevarse un *souvenir*, mató a uno y le arrancó los colmillos de marfil.

El viaje fue muy divertido.

Mayo
23

La fabricación del poder

En 1937 murió John D. Rockefeller, dueño del mundo, rey del petróleo, fundador de la Standard Oil Company.

Había vivido casi un siglo.

En la autopsia, no se encontró ningún escrúpulo.

Los herejes y el santo

En este día del año 1543, murió Nicolás Copérnico. Murió mientras se ponían en circulación los primeros ejemplares del libro suyo que demostró que el mundo gira alrededor del sol.

La Iglesia prohibió el libro, *por ser falso y contrario a las Sagradas Escrituras*; envió a la hoguera al sacerdote Giordano Bruno, por difundirlo, y obligó a que Galileo Galilei negara haberlo leído y creído.

Tres siglos y medio después, el Vaticano se arrepintió de haber asado vivo a Giordano Bruno y anunció que iba a erigir, en sus jardines, una estatua de Galileo Galilei.

La embajada de Dios en la tierra se toma su tiempo para hacer justicia.

Pero al mismo tiempo que perdonaba a estos herejes, el Vaticano hizo santo al cardenal de la Inquisición Roberto Bellarmino, santo Roberto que estás en los cielos, que había acusado y sentenciado a Bruno y a Galileo.

Herejías

En el año 325, en la ciudad de Nicea, se celebró el primer concilio ecuménico de la cristiandad, convocado por el emperador Constantino.

Durante los tres meses que duró el concilio, trescientos obispos aprobaron algunos dogmas necesarios en la lucha contra las herejías, y decidieron que la palabra *herejía*, del griego *haíresis*, que significaba *elección*, pasara a significar *error*.

O sea: comete error quien elige libremente y desobedece a los dueños de la fe.

Sherlock Holmes murió dos veces

La primera muerte de Sherlock Holmes ocurrió en 1891. Lo mató su papá: el escritor Arthur Conan Doyle ya no pudo soportar que su pedante criatura fuera más famosa que él, y desde una altura de los Alpes arrojó a Sherlock al abismo.

La noticia se conoció poco después, cuando se publicó en la revista *Strand*. Entonces el mundo entero se vistió de luto, la revista perdió a sus lectores y el escritor perdió a sus amigos.

No demoró mucho la resurrección del más famoso de los detectives.

Conan Doyle no tuvo más remedio que devolverlo a la vida.

De la segunda muerte de Sherlock, nada se sabe. En su casa de Baker Street, nadie atiende el teléfono. Ya le habrá llegado la hora, eso es seguro, porque de morir habemos, aunque llama la atención que nunca se haya publicado su necrológica en las páginas del *Times*.

Querido vagabundo

En 1963, murió Fernando.

Él era un libre. Era de todos, y de nadie era.

Cuando se aburría de correr gatos en las plazas, se echaba a callejear con sus amigos cantores y guitarreros, y con ellos rumbeaba hacia la música, sonara donde sonara, de fiesta en fiesta.

En los conciertos, era infaltable. Crítico de fino oído, sacudía el rabo si le gustaba lo que oía. Si no, gruñía.

Cuando lo capturó la perrera, una pueblada lo liberó. Cuando lo pisó un auto, el mejor médico lo atendió, y en su consultorio lo internó.

Sus pecados carnales, cometidos en plena vía pública, solían ser castigados con pateaduras que lo dejaban maltrecho, y entonces las brigadas infantiles del club Progreso le prodigaban cuidados intensivos.

En su ciudad, Resistencia, en el Chaco argentino, hay tres estatuas de Fernando.

Mayo
28

Oswiecim

En el día de hoy del año 2006, el papa Benedicto, sumo pontífice de la Iglesia Católica, paseó entre los jardines de la ciudad que se llama, en lengua polaca, Oswiecim.

A cierta altura del paseo, el paisaje cambió.

En lengua alemana, la ciudad de Oswiecim se llama Auschwitz.

Y en Auschwitz, el Papa habló. Desde la fábrica de muerte más famosa del mundo, preguntó:

—*Y Dios, ¿dónde estaba?*

Y nadie le informó que Dios nunca había cambiado de domicilio.

Y preguntó:

—*¿Por qué Dios se quedó callado?*

Y nadie le aclaró que quien se había quedado callada era la Iglesia, su Iglesia, que en nombre de Dios hablaba.

Vampiros

En el verano de 1725, Petar Blagojevic se levantó de su ataúd, en la aldea de Kisiljevo, mordió a nueve vecinos y les bebió la sangre. Por orden del gobierno de Austria, que por entonces mandaba en aquellos pagos, las fuerzas del orden lo mataron definitivamente clavándole una estaca en el corazón.

Petar fue el primer vampiro oficialmente reconocido, y el menos célebre.

El más exitoso, el conde Drácula, nació de la pluma de Bram Stoker, en 1897.

Más de un siglo después, Drácula se jubiló. No le preocupaba para nada la competencia de los vampiritos y vampiritas cursilones que Hollywood estaba fabricando; pero en cambio sí que lo angustiaban otras hazañas insuperables.

No tuvo más remedio que retirarse. Sentía un incurable complejo de inferioridad ante los poderosos glotones que fundan y funden bancos y chupan la sangre del mundo como si fuera pescuezo.

Mayo
30

De la hoguera al altar

En este día de 1431, una muchacha de diecinueve años fue quemada viva en el mercado viejo de Rouen.

Ella subió al cadalso con un enorme gorro, donde se leía:

Herética,
Reincidente,
Apóstata,
Idólatra.

Después de quemada, fue arrojada al río Sena, desde lo alto de un puente, para que las aguas se la llevaran lejos.

Ella había sido condenada por la Iglesia Católica y el Reino de Francia.

Se llamaba Juana de Arco.

¿Les suena?

La incombustible

La Signora Girardelli, hacedora de prodigios, dejó bizco al público europeo, allá por el año 1820.

Ella acariciaba sus brazos con velas encendidas, bailaba descalza sobre la hoguera y la revolvía con sus manos, se sentaba sobre hierros que humeaban al rojo vivo, se bañaba en llamas, hacía buches de aceite hirviente, tragaba fuego, mascaba brasas y las escupía convertidas en libras esterlinas... Y al cabo de tan ardientes exhibiciones, mostraba su cuerpo invicto, su piel del color de la nieve, y recibía ovaciones.

—*Son trucos* —decían los criticones.

Ella no decía nada.

Junio

Junio
1

Santos varones

En el año 2006, el Partido de la Caridad, la Libertad y la Diversidad intentó registrarse legalmente en Holanda.

Esta nueva agrupación política dijo representar *a los hombres que han asumido su sexualidad y vida erótica en relaciones libres con niños y niñas.* La plataforma del partido exigía la legalización de la pornografía infantil y de todas las formas de relación sexual con menores de edad.

Ocho años antes, estos activistas de la caridad, la libertad y la diversidad habían creado, en Internet, el Día mundial del amor al niño.

El partido no reunió la cantidad de firmas exigidas, no pudo participar en ninguna elección y en el año 2010 se suicidó.

Junio
2

Los indios son personas

En 1537, el papa Paulo III dictó la bula *Sublimis Deus*. La bula salió al choque contra *quienes, deseando saciar su codicia, se atreven a afirmar que los indios deben ser dirigidos a nuestra obediencia, como si fueran animales, con el pretexto de que ignoran la fe católica.*

Y en defensa de los aborígenes del Nuevo Mundo, estableció que *son verdaderos hombres, y como verdaderos hombres que son pueden usar, poseer y gozar libre y lícitamente de su libertad y del dominio de sus propiedades y no deben ser reducidos a servidumbre.*

En América, nadie se enteró.

Junio
3

La venganza de Atahualpa

El pueblo de Tambogrande dormía en lecho de oro. Había oro bajo las casas, y nadie lo sabía. La noticia llegó junto con la orden de desalojo. El gobierno peruano había vendido el pueblo entero a la empresa Manhattan Minerals Corporation. Ahora serán todos millonarios, les dijeron. Pero nadie obedeció. En el día de hoy del año 2002, se conoció el resultado del plebiscito: los habitantes de Tambogrande decidieron seguir viviendo de las paltas, los mangos, las limas y demás frutos de la tierra trabajosamente conquistada al desierto.

Bien saben ellos que el oro maldice los lugares donde aparece: deja cerros volados por la dinamita y ríos envenenados por los residuos de las empresas mineras, que contienen más cianuro que agua bendita.

Y quizá también saben que el oro enloquece a la gente, porque el hambre de oro crece comiendo.

En 1533, el conquistador español Francisco Pizarro mandó estrangular a Atahualpa, rey del Perú, aunque ya Atahualpa le había entregado todo el oro que exigía.

Junio
4

Memoria del futuro

Según lo que aprendimos en la escuela, el descubrimiento de Chile ocurrió en 1536.

La noticia no impresionó para nada a los mapuches, que habían descubierto Chile trece mil años antes.

En 1563, ellos cercaron el fortín principal de los conquistadores españoles.

El fortín estaba a punto de sucumbir, arrasado por la furia de miles de indios, cuando el capitán Lorenzo Bernal se alzó sobre la empalizada y gritó:

—*¡A la larga, nosotros ganaremos! Que si faltan mujeres españolas, ahí están las vuestras. Y con ellas tendremos hijos, que serán vuestros amos.*

El intérprete tradujo. Colocolo, el jefe indio, lo escuchó como quien oye llover.

Él no pudo entender la triste profecía.

La naturaleza no es muda

La realidad pinta naturalezas muertas.

Las catástrofes se llaman naturales, como si la naturaleza fuera el verdugo y no la víctima, mientras el clima se vuelve loco de remate y nosotros también. Hoy es el Día del medio ambiente. Un buen día para celebrar la nueva Constitución de Ecuador, que en el año 2008, por primera vez en la historia del mundo, reconoció a la naturaleza como sujeto de derecho. Suena raro esto de que la naturaleza tenga derechos, como si fuera persona. En cambio, suena de lo más normal que las grandes empresas de los Estados Unidos tengan derechos humanos. Y los tienen, por decisión de la Suprema Corte de Justicia, desde 1886. Si la naturaleza fuera banco, ya la habrían salvado.

Las montañas que fueron

En los últimos dos siglos han sido decapitadas cuatrocientas setenta montañas de la cordillera norteamericana de los Apalaches, así llamada en memoria de los nativos de la región.

Los indígenas fueron despojados porque habitaban tierras fértiles.

Las montañas fueron vaciadas porque contenían carbón.

El rey poeta

Nezahualcóyotl murió veinte años antes de que Colón pisara las playas de América.
Fue rey de Texcoco, en el vasto valle de México.
Allí dejó su voz:

Se rompe, aunque sea oro,
se quiebra, aunque sea jade,
se desgarra, aunque sea plumaje de quetzal.
Aquí nadie vivirá por siempre.
También los príncipes a morir vinieron.
Todos tendremos que ir a la región del misterio.
¿Acaso en vano venimos a la tierra?
Dejemos, al menos, nuestros cantares.

Junio
8

Sacrílego

En el año 1504, Miguel Ángel estrenó su obra maestra: el David se irguió en la plaza principal de la ciudad de Florencia.

Insultos y pedradas dieron la malvenida a este gigante completamente desnudo.

Miguel Ángel fue obligado a cubrir la indecencia con una hoja de parra, tallada en cobre.

Junio
9

Sacrílegas

En el año 1901, Elisa Sánchez y Marcela Gracia contrajeron matrimonio en la iglesia de San Jorge, en la ciudad gallega de A Coruña.

Elisa y Marcela se amaban a escondidas. Para normalizar la situación, con boda, sacerdote, acta y foto, hubo que inventar un marido: Elisa se convirtió en Mario, vistió ropa de caballero, se recortó el pelo y habló con otra voz.

Después, cuando se supo, los periódicos de toda España pusieron el grito en el cielo ante *este escándalo asquerosísimo, esta inmoralidad desvergonzada,* y aprovecharon tan lamentable ocasión para vender como nunca, mientras la Iglesia, engañada en su buena fe, denunciaba a la policía el sacrilegio cometido.

Y la cacería se desató.

Elisa y Marcela huyeron a Portugal.

En Oporto las metieron presas.

Cuando escaparon de la cárcel, cambiaron sus nombres y se echaron a la mar.

En la ciudad de Buenos Aires se perdió la pista de las fugitivas.

Y un siglo después

En estos días del año 2010, se abrió en Buenos Aires el debate sobre el proyecto de legalización del matrimonio homosexual.

Sus enemigos lanzaron *la guerra de Dios contra las bodas del Infierno,* pero el proyecto fue venciendo obstáculos, a lo largo de un camino espinoso, hasta que el 15 de julio Argentina se convirtió en el primer país latinoamericano que reconoció la plena igualdad de todas y de todos en el arcoíris de la diversidad sexual.

Fue una derrota de la hipocresía dominante, que invita a vivir obedeciendo y a morir mintiendo, y fue una derrota de la Santa Inquisición, que cambia de nombre pero siempre tiene leña para la hoguera.

Junio
11

El hombre que vendió la torre Eiffel

El conde Viktor Lustig, profeta de los genios de Wall Street, se llamó con varios nombres y varios títulos nobiliarios, residió en varias cárceles de varios países, y en varias lenguas supo mentir con toda sinceridad.

En este mediodía del año 1925, el conde estaba leyendo el diario en el hotel Crillon, en París, cuando se le ocurrió una de esas buenas ideas que le permitían matar el hambre cuando se aburría de jugar al póquer.

Y vendió la torre Eiffel.

Imprimió papeles y sobres con el emblema de la alcaldía de París, y con la complicidad de algún ingeniero amigo inventó informes técnicos que demostraban que la torre estaba cayéndose, por irreparables errores de construcción.

El conde visitó a los posibles candidatos, uno por uno, y los invitó a comprar, a precio de ganga, miles y miles de toneladas de hierro. El asunto era secreto. Por tratarse del más notorio símbolo de la nación francesa, era preciso evitar a toda costa el escándalo público. Las ventas se realizaron en silencio y con urgencia, porque el derrumbe de la torre no iba a demorar.

La explicación del misterio

En el año 2010, la guerra contra Afganistán confesó su porqué: el Pentágono reveló que en ese país había yacimientos que valían más de un millón de millones de dólares.

Esos yacimientos no contenían talibanes.

Contenían oro, cobalto, cobre, hierro y sobre todo litio, imprescindible en los teléfonos celulares y las computadoras portátiles.

Junio
13

Daños colaterales

En estos días del año 2010 se supo que son cada vez más los soldados norteamericanos que se suicidan. Los suicidados están siendo casi tantos como los muertos en combate.

Para resolver este problema, el Pentágono ha resuelto multiplicar a sus especialistas en salud mental, que integran el sector más promisorio de las fuerzas armadas.

El mundo se está convirtiendo en un inmenso cuartel, y el inmenso cuartel se está convirtiendo en un manicomio del tamaño del mundo. En este manicomio, ¿quiénes son los locos? ¿Los soldados que se matan o las guerras que los mandan matar?

Junio
14

La bandera como disfraz

En el día de hoy de 1982, la dictadura argentina perdió la guerra. Mansamente se rindieron, sin que se hicieran ni un tajito al afeitarse, los generales que habían jurado dar la vida por la recuperación de las islas Malvinas, usurpadas por el imperio británico.

División militar del trabajo: estos heroicos violadores de mujeres atadas, estos valientes torturadores y ladrones de bebés y de todo lo que pudieron robar, se habían ocupado de las arengas patrioteras, mientras mandaban al matadero a los jóvenes reclutas de las provincias más pobres, que en aquellas lejanas islas del sur murieron de bala o de frío.

Junio
15

Una mujer cuenta

Varios generales argentinos fueron sometidos a juicio por sus hazañas cometidas en tiempos de la dictadura militar.

Silvina Parodi, una estudiante acusada de ser protestona metelíos, fue una de las muchas prisioneras desaparecidas para siempre.

Cecilia, su mejor amiga, ofreció testimonio, ante el tribunal, en el año 2008. Contó los suplicios que había sufrido en el cuartel, y dijo que había sido ella quien había dado el nombre de Silvina cuando ya no pudo aguantar más las torturas de cada día y cada noche:

—*Fui yo. Yo llevé a los verdugos a la casa donde estaba Silvina. Yo la vi salir, a los empujones, a culatazos, a patadas. Yo la escuché gritar.*

A la salida del tribunal, alguien se acercó y le preguntó, en voz baja:

—*Y después de eso, ¿cómo hizo usted para seguir viviendo?*

Y ella contestó, en voz más baja todavía:

—*¿Y quién le dijo a usted que yo estoy viva?*

Junio
16

Tengo algo que decirte

Oscar Liñeira fue otro de los miles de muchachos desaparecidos en Argentina. En lenguaje militar, fue *trasladado*.

Piero Di Monte, preso en el mismo cuartel, escuchó sus últimas palabras:

—*Tengo algo que decirte. ¿Sabés una cosa? Yo nunca hice el amor. Y ahora me van a matar sin haber conocido eso.*

Tomasa no pagó

En 1782, la justicia de la ciudad de Quito sentenció que Tomasa Surita estaba obligada a pagar los impuestos correspondientes a unas telas que había comprado en Guayaquil.

Sólo los varones tenían capacidad legal para comprar o vender.

—*Que le cobren a mi marido* —dijo Tomasa—. *La ley nos considera idiotas. Si las mujeres somos idiotas para cobrar, también somos idiotas para pagar.*

Junio
18

Susan tampoco pagó

Los Estados Unidos de América vs Susan Anthony, Distrito Norte de Nueva York, junio 18 de 1873.

Fiscal de Distrito Richard Crowley: *El 5 de noviembre de 1872, Susan B. Anthony votó por un representante en el Congreso de los Estados Unidos de América. En ese momento ella era mujer, y supongo que no habrá dudas sobre eso. Ella no tenía derecho de voto. Es culpable de violar la ley.*

Juez Ward Hunt: *La prisionera ha sido juzgada de acuerdo con lo que las leyes establecen.*

Susan Anthony: *Sí, Su Señoría, pero son leyes hechas por hombres, interpretadas por hombres y administradas por hombres a favor de los hombres y contra las mujeres.*

Juez Ward Hunt: *Póngase de pie la prisionera. La sentencia de esta Corte le manda pagar una multa de cien dólares más los costos del proceso.*

Susan Anthony: *Jamás pagaré ni un dólar.*

**Junio
19**

Alarma: ¡Bicicletas!

—*La bicicleta ha hecho más que nada y más que nadie por la emancipación de las mujeres en el mundo* —decía Susan Anthony.

Y decía su compañera de lucha, Elizabeth Stanton:

—*Las mujeres viajamos, pedaleando, hacia el derecho de voto.*

Algunos médicos, como Philippe Tissié, advertían que la bicicleta podía provocar aborto y esterilidad, y otros colegas aseguraban que este indecente instrumento inducía a la depravación, porque daba placer a las mujeres que frotaban sus partes íntimas contra el asiento.

La verdad es que, por culpa de la bicicleta, las mujeres se movían por su cuenta, desertaban del hogar y disfrutaban el peligroso gustito de la libertad. Y por culpa de la bicicleta, el opresivo corsé, que impedía pedalear, salía del ropero y se iba al museo.

Este inconveniente

Su voz de soprano, capaz de dar color a cada sílaba, había despertado ovaciones en Río de Janeiro.

Poco después, a fines del siglo dieciocho, Joaquina Lapinha fue la primera cantante brasileña que conquistó Europa.

Carl Ruders, un viajero sueco adicto a las óperas, la escuchó en el año 1800, en un teatro de Lisboa, y elogió, entusiasmado, *su buena voz, su figura imponente y su gran sentimiento dramático.*

Lamentablemente, Joaquina tiene piel oscura, advirtió Ruders, *pero este inconveniente se remedia con cosméticos.*

Junio
21

Todos somos tú

En el año 2001, resultó sorprendente el partido de fútbol entre los equipos de Treviso y Génova.

Un jugador del Treviso, Akeem Omolade, africano de Nigeria, recibía frecuentes silbidos y rugidos burlones y cantitos racistas en los estadios italianos.

Pero en el día de hoy, hubo silencio. Los otros diez jugadores del Treviso jugaron el partido con las caras pintadas de negro.

La cintura del mundo

En el año 234 antes de Cristo, un sabio llamado Eratóstenes clavó una vara, al mediodía, en la ciudad de
Alejandría, y le midió la sombra.

Un año después, exactamente a la misma hora del
mismo día, clavó la misma vara en la ciudad de Asuán,
y comprobó que no hacía ninguna sombra.

Eratóstenes dedujo que la diferencia entre una sombra y ninguna sombra confirmaba que el mundo era
una esfera y no un plato. Entonces hizo medir la distancia entre las dos ciudades, a paso de hombre, y a partir
de esa información intentó calcular cuánto medía la
cintura del mundo.

Se equivocó en noventa kilómetros.

Junio
23

Fuegos

A la medianoche de hoy, rompen los fuegos.

El gentío se reúne alrededor de las altas hogueras.

Esta noche se limpian las casas y las almas. Se arrojan al fuego los trastos viejos y los deseos viejos, cosas y sentires gastados por el tiempo, para que lo nuevo nazca y encuentre lugar.

Desde el norte del mundo, esta costumbre se difundió por todas partes. Siempre fue una fiesta pagana. Siempre, hasta que la Iglesia Católica decidió que ésta sería la Noche de san Juan.

Junio
24

El sol

Desde el amanecer de hoy se celebra la fiesta del sol, el Inti Raymi, en las estepas y las serranías de los Andes.

Al principio de los tiempos, la tierra y el cielo estaban a oscuras. Sólo noche había.

Cuando la primera mujer y el primer hombre emergieron de las aguas del lago Titicaca, nació el sol.

El sol fue inventado por Viracocha, el dios de dioses, para que la mujer y el hombre pudieran verse.

La luna

El poeta chino Li Po murió en el año 762, en una noche como ésta.

Murió ahogado.

Se cayó de la barca cuando se le ocurrió abrazar a la luna, reflejada en las aguas del río Yangtsé.

Li Po ya había buscado a la luna, en otras noches:

Bebo solo.
Ningún amigo está cerca.
Alzo mi copa,
invito a la luna
y a mi sombra.
Ahora somos tres.
Pero la luna no sabe beber
y mi sombra sólo sabe imitarme.

El reino del miedo

Hoy es el Día contra la tortura.

Por trágica ironía, la dictadura militar del Uruguay nació al día siguiente, en 1973, y convirtió al país entero en una gran cámara de torturas.

Los suplicios servían poco o nada para arrancar información, pero eran muy útiles para sembrar el miedo, y el miedo obligó a los uruguayos a vivir callando o mintiendo.

En el exilio, recibí una carta anónima:

> *Es jodido mentir, y es jodido acostumbrarse a mentir.*
> *Pero peor que mentir es enseñar a mentir.*
> *Yo tengo tres hijos.*

Somos todos culpables

El *Directorium Inquisitorium*, publicado por la Santa Inquisición en el siglo catorce, difundió las reglas del suplicio, y la más importante mandaba:

Se torturará al acusado que vacila en sus respuestas.

Junio
28

El Infierno

Allá por el año 960, los misioneros cristianos invadieron Escandinavia, y amenazaron a los vikingos: si persistían en sus paganas costumbres, iban a parar al Infierno, donde ardía el fuego eterno.

Los vikingos agradecieron la buena noticia. Ellos temblaban de frío, no de miedo.

Junio
29

El Más Acá

Dizque dicen que hoy es el Día de san Pedro, y dicen que él tiene las llaves del Cielo.

Vaya uno a saber.

Fuentes bien informadas aseguran que el Cielo y el Infierno son nada más que dos nombres del mundo, y cada uno de nosotros los lleva adentro.

Nació una molestosa

Hoy fue bautizada, en 1819, en Buenos Aires, Juana Manso.

Las aguas sagradas la iniciaron en el camino de la mansedumbre, pero Juana Manso nunca fue mansa.

Contra viento y marea, ella fundó, en Argentina y en Uruguay, escuelas laicas y mixtas, donde se mezclaban niñas y niños, no era obligatoria la enseñanza de la religión y estaba prohibido el castigo físico.

Escribió el primer texto escolar de historia argentina y varias obras más. Entre ellas, una novela que le daba duro a la hipocresía conyugal.

Fundó la primera biblioteca popular en el interior del país.

Se divorció cuando el divorcio no existía.

Los diarios de Buenos Aires se deleitaban insultándola.

Cuando murió, la Iglesia le negó sepultura.

Julio

Julio
1

Un terrorista menos

En el año 2008, el gobierno de los Estados Unidos decidió borrar a Nelson Mandela de la lista de terroristas peligrosos.

Durante sesenta años, el africano más prestigioso del mundo había integrado ese tenebroso catálogo.

Prehistoria olímpica

Un aplaudido *desfile antropológico* abrió los juegos olímpicos de 1904, en la ciudad norteamericana de Saint Louis.

Desfilaron los negros, los indígenas, los chinos, los enanos y las mujeres.

Ninguno de ellos pudo participar en las competencias atléticas, que comenzaron al día siguiente y duraron cinco meses.

Fred Lorz, blanco y macho, ganó la maratón, que era la competencia más popular. Poco después, se supo que había corrido la mitad del circuito en el automóvil de un amigo.

Ésa fue la última trampa olímpica ajena a la industria química.

Desde entonces, el mundo deportivo se modernizó.

Ya los atletas no compiten solos. Con ellos compiten también las farmacias que contienen.

La piedra en el hoyo

Habían pasado tres meses desde que el rey James II había prohibido el golf, en 1457, y ningún escocés le hacía caso.

En vano, el monarca repitió la orden: era necesario que los jóvenes dedicaran sus mejores energías al arte de la arquería, imprescindible en la defensa nacional, en lugar de perder el tiempo golpeando pelotitas.

Pero en los verdes campos de Escocia había nacido el golf, allá por el año mil, cuando los pastores mataban el aburrimiento embocando piedras en los hoyos de los conejos; y esta tradición seguía siendo invencible.

En Escocia están los dos campos de golf más antiguos del mundo. Son de propiedad pública y de entrada gratuita. Raros en el mundo: por regla general, este deporte, privatizado, pertenece a los pocos que comen el espacio de todos, y nos beben el agua.

La Cruz del Sur

En esta noche de 1799, Alexander von Humboldt y Aimé Bonpland descubrieron la Cruz del Sur.

Ellos venían navegando, a través de la mar inmensa, cuando fueron saludados por esas estrellas que nunca habían visto.

La Cruz del Sur les estaba anunciando el camino de América.

Humboldt y Bonpland no venían a conquistar. Nada querían llevarse, mucho venían a dar. Y mucho nos dieron, esos científicos aventureros, que nos ayudaron a conocernos y a reconocernos.

Años después, al fin del viaje por los adentros de la tierra americana, Humboldt regresó a Europa.

Aimé, don Amado, eligió quedarse en esta tierra que ya era suya.

Hasta el fin de sus días, don Amado recogió y clasificó miles de plantas ignoradas, y rescató perdidas hierbas medicinales de la tradición indígena, fundó farmacias verdes gratuitas para todos, aró, sembró, cosechó, crió hijos y gallinas, aprendió y enseñó, sufrió prisión y practicó el amor al prójimo (*empezando por las prójimas,* decía).

Julio
5

El derecho de reír

Según la Biblia, Salomón, rey de Israel, no tenía una buena opinión de la risa:

—*Es locura* —decía.

Y sobre la alegría:

—*¿De qué sirve?*

Según los evangelios, Jesús nunca rió.

El derecho de reír sin cometer pecado tuvo que esperar hasta que en la ciudad de Asís nació, en el día de hoy de 1182, un bebé llamado Francisco.

San Francisco de Asís nació sonriendo, y años después instruyó a sus monjes discípulos:

—*Sean alegres. Guárdense de aparecer tristes, ceñudos, hipócritas...*

Julio
6

Engáñame

Hoy fue bautizado, en 1810, en Connecticut, un bebé llamado Phineas Barnum.

Ya mayorcito, fundó el más famoso de los circos.

El circo empezó siendo un museo de rarezas y monstruosidades, donde acudían las multitudes:

se inclinaban ante una esclava ciega, que tenía 161 años y había dado de mamar a George Washington;

besaban la mano de Napoleón Bonaparte, que medía 64 centímetros de alto;

y comprobaban que estaban bien pegaditos los hermanos siameses Chang y Eng, y que las tres sirenas del circo tenían auténticas colas de pez.

Barnum fue el hombre más envidiado por los políticos profesionales de todos los tiempos. Él llevó a la práctica, mejor que nadie, su gran descubrimiento: *A la gente le encanta que la engañen.*

Julio

7

Fridamanía

En 1954, una manifestación comunista caminó las calles de la ciudad de México. Frida Kahlo iba ahí, en silla de ruedas. Fue la última vez que la vieron viva. Murió, sin ruido, poco después.

Y unos cuantos años pasaron hasta que la fridamanía, tremendo alboroto, la despertó.

¿Resurrección o negocio? ¿Se merecía esto una artista ajena al exitismo y al lindismo, autora de despiadados autorretratos que la mostraban cejijunta y bigotuda, acribillada de agujas y alfileres, acuchillada por treinta y dos operaciones?

¿Y si todo esto fuera mucho más que una manipulación mercantil? ¿Un homenaje del tiempo, que celebra a una mujer capaz de convertir su dolor en color?

El Líder Perpetuo

En 1994, murió el inmortal.

Murió, pero no murió.

Según la Constitución de Corea del Norte, redactada por él mismo, Kim Il Sung había nacido en el día primero de la Nueva Era de la Humanidad, y era Presidente Eterno.

La Nueva Era, por él inaugurada, continúa; y él también: Kim Il Sung sigue mandando desde sus estatuas, que son los edificios más altos del país.

Los soles que la noche esconde

En el año 1909, nació Vitalino en el nordeste del Brasil.

Y la tierra seca, donde nada crece, fue tierra mojada, para que brotaran sus hijos de barro.

Al principio fueron juguetes, que sus manos modelaron para que le acompañaran la infancia.

Y el paso del tiempo convirtió los juguetes en pequeñas esculturas, tigres y cazadores, labradores con sus azadas excavando la tierra dura, los guerreros del desierto alzando fusiles, las caravanas de los retirantes expulsados por la sequía, los guitarreros, las bailanderas, los enamorados, las procesiones, los santos...

Y así los dedos mágicos de Vitalino contaron la tragedia y la fiesta de su gente.

Julio
10

La fabricación de novelas

En este aciago día de 1844, los franceses se quedaron sin nada que leer. La revista *Le Siècle* publicó la entrega final de los dieciséis capítulos de la novela de aventuras que toda Francia devoraba.

Se acabó. ¿Y ahora? Sin *Los tres mosqueteros*, que en realidad eran cuatro, ¿quién se jugaría la vida, cada día, por el honor de una reina?

El autor, Alejandro Dumas, escribió esta obra, y trescientas más, a un ritmo de seis mil palabras por día. Los envidiosos decían que esta hazaña del atletismo literario era posible por su costumbre de firmar páginas ajenas, robadas de otros libros o malpagadas a los obreros de la pluma que trabajaban para él.

Quizá sus banquetes interminables, que le inflaban la panza y le vaciaban los bolsillos, lo obligaban a producir, en serie, obras por encargo.

El gobierno francés le pagó, por ejemplo, la novela *Montevideo o la Nueva Troya*. Sus páginas estaban dedicadas a *los heroicos defensores* de ese puerto que Adolphe Thiers llamaba *nuestra colonia de Montevideo*, y Dumas no conocía ni de oídas. La obra debía otorgar alturas épicas a la defensa del puerto contra los hombres de la tierra, aquellos gauchos descalzos que Dumas llamó *salvajes azotes de la Civilización*.

La fabricación de lágrimas

En 1941, todo Brasil lloraba el primer radioteatro:

Crema dental Colgate presenta...
"¡En busca de la felicidad!"

El drama había sido importado de Cuba y adaptado a la realidad nacional. Los personajes tenían dinero de sobra, pero eran desdichados. Cada vez que estaban a punto de alcanzar la felicidad, el Destino cruel echaba todo a perder. Así pasaron casi tres años, capítulo tras capítulo, y ni las moscas volaban cuando llegaba *la hora de la novela.*

No había radios en algunas aldeas escondidas en el interior de Brasil. Pero siempre había alguien dispuesto a cabalgar unas cuantas leguas, escuchar el capítulo, memorizarlo bien y regresar al galope. Entonces el jinete contaba lo que había oído. Y su relato, mucho más largo que el original, convocaba a una multitud de vecinos ávidos por saborear las últimas desgracias, con ese impagable placer de los pobres cuando pueden sentir lástima por los ricos.

Julio
12

La consagración del goleador

En 1949, Gian Piero Boniperti fue el goleador del campeonato italiano y su estrella más brillante.

Según dicen los decires, él había nacido al revés, con un piecito pateando el aire, y desde la cuna viajó hacia la gloria futbolera.

El club Juventus le pagaba una vaca por gol.

Altri tempi.

El gol del siglo

En este día del año 2002, el máximo organismo del fútbol dio a conocer el resultado de una encuesta universal: *Elija usted el gol del siglo veinte.*

Ganó, por abrumadora mayoría, el gol de Diego Maradona en el Mundial de 1986, cuando bailando, con la pelota pegada al pie, dejó a seis ingleses perdidos en el camino.

Ésa fue la última imagen del mundo que vio Manuel Alba Olivares.

Él tenía once años, y en ese mágico momento los ojos se le apagaron para siempre. Ha guardado el gol intacto en su memoria, y lo relata mejor que los mejores locutores.

Desde entonces, para ver fútbol y otras cosas no tan importantes, Manuel pide prestados los ojos de sus amigos.

Gracias a ellos, este colombiano ciego fundó y preside un club de fútbol, fue y sigue siendo director técnico del equipo, comenta los partidos en su programa de radio, canta para divertir a la audiencia y en los ratos libres trabaja de abogado.

El baúl de los perdedores

Helena Villagra soñó con un inmenso baúl.

Ella lo abría con una llave muy vieja y del baúl brotaban goles perdidos, penales errados, equipos derrotados, y los goles perdidos entraban al arco, la pelota desviada corregía su rumbo y los perdedores festejaban su victoria. Y aquel partido al revés no iba a terminarse nunca, mientras la pelota siguiera volando, y el sueño también.

Una ceremonia de exorcismo

En esta noche de 1950, víspera de la final del campeonato mundial de fútbol, Moacir Barbosa durmió arrullado por los ángeles.

Él era el hombre más querido de todo Brasil.

Pero al día siguiente, el mejor arquero del mundo pasó a ser un traidor a la patria: Barbosa no había sido capaz de atajar el gol uruguayo que arrebató a Brasil el trofeo mundial.

Trece años después, cuando el estadio de Maracaná renovó sus arcos, Barbosa se llevó los tres palos donde aquel gol lo había humillado. Y partió los palos a golpes de hacha, y los quemó hasta hacerlos ceniza.

El exorcismo no lo salvó de la maldición.

Mi querido enemigo

Blanca era la camiseta de Brasil. Y nunca más fue blanca, desde que el Mundial de 1950 demostró que ese color daba desgracia.

Doscientas mil estatuas de piedra en el estadio de Maracaná: el partido final había concluido, Uruguay era campeón del mundo, y el público no se movía.

En la cancha deambulaban, todavía, algunos jugadores.

Los dos mejores, Obdulio y Zizinho, se cruzaron.

Se cruzaron, se miraron.

Eran muy diferentes. Obdulio, el vencedor, era de hierro. Zizinho, el vencido, estaba hecho de música. Pero también eran muy parecidos: los dos habían jugado lastimados casi todo el campeonato, uno con el tobillo inflamado, el otro con la rodilla hinchada, y a ninguno se le había escuchado una queja.

Al fin del partido, no sabían si darse un puñetazo o un abrazo.

Años después, le pregunté a Obdulio:

—¿*Te ves con Zizinho?*

—*Sí. De vez en cuando. Cerramos los ojos y nos vemos.*

Día de la justicia

La Reina dijo:

—*Ahí tienes al Mensajero del Rey. Él está preso aho-ra, está siendo castigado. Su proceso no comenzará antes del próximo miércoles. Y por supuesto, su crimen será cometido al final.*

—*¿Y si nunca comete el crimen?* —preguntó Alicia.

(De *Alicia a través del espejo*, segunda parte de *Alicia en el país de las maravillas*, por Lewis Carroll, 1872)

La historia es un juego de dados

Ciento veinte años había demorado la construcción del templo de la diosa Artemisa, en Éfeso, que supo ser una de las maravillas del mundo.

El templo fue reducido a cenizas en una sola noche del año 356 antes de Cristo.

Nadie sabe quiénes lo habían creado. El nombre del asesino, en cambio, resuena todavía. Eróstrato, el incendiario, quiso pasar a la historia. Y pasó.

Julio
19

El primer turista de las playas cariocas

El príncipe João, portugués, hijo de la reina María, visitó la playa del puerto de Río de Janeiro, por consejo médico, en 1810.

El monarca se zambulló calzado y metido en un barril. Tenía pánico de los cangrejos y de las olas.

Su audaz ejemplo no fue imitado. Las playas de Río eran basureros inmundos, donde los esclavos vaciaban, en las noches, los desperdicios de sus amos.

Después, cuando nacía el siglo veinte, las aguas pudieron ofrecer baños de mar bastante mejores, pero eso sí: las damas y los caballeros estaban bien separados, como las reglas del pudor mandaban.

Había que vestirse para estar en la playa. En las costas que ahora son una geografía de la desnudez, ellos entraban al agua cubiertos hasta debajo de las rodillas, y ellas escondían sus pálidos cuerpos de la cabeza a los pies, por el peligro de que el sol las convirtiera en mulatas.

La intrusa

En 1951, una foto publicada en la revista *Life* causó revuelo en los círculos ilustrados de Nueva York.

Por primera vez aparecían, reunidos, los más selectos pintores de la vanguardia artística de la ciudad: Mark Rothko, Jackson Pollock, Willem de Kooning y otros once maestros del expresionismo abstracto.

Todos hombres, pero en la fila de atrás aparecía en la foto una mujer, desconocida, de abrigo negro, sombrerito y bolso al brazo.

Los fotografiados no ocultaron su disgusto ante esa presencia ridícula.

Alguno intentó, en vano, disculpar a la infiltrada, y la elogió diciendo:

—*Ella pinta como un hombre.*

Se llamaba Hedda Sterne.

Julio
21

El otro astronauta

En este día de 1969, los diarios del mundo entero dedicaron su primera página a la foto del siglo: los astronautas habían caminado por la luna, a paso de oso, y habían marcado en ella las primeras huellas humanas.

Pero el principal protagonista de la hazaña no recibió la felicitación que merecía.

Werner von Braun había inventado y lanzado esa nave espacial.

Antes de emprender la conquista del espacio por cuenta de los Estados Unidos, Von Braun había llevado adelante la conquista de Europa por cuenta de Alemania.

Este ingeniero, oficial de las SS, era el científico preferido de Hitler.

Pero al día siguiente del fin de la guerra, supo pegar un prodigioso salto y cayó parado en la otra orilla de la mar.

Instantáneamente se convirtió en patriota de su patria nueva, se hizo devoto de una secta evangélica de Texas, y puso manos a la obra en el laboratorio espacial.

La otra luna

Los astronautas no fueron los primeros en llegar.
Mil ochocientos años antes, Luciano de Samosata había visitado la luna.

Nadie lo vio, nadie lo creyó; pero en lengua griega, él lo escribió.

Allá por el año 150, Luciano y sus marineros se echaron a navegar desde las columnas de Hércules, que estaban donde ahora está el estrecho de Gibraltar, y una tormenta atrapó la nave y los subió al cielo y los arrojó a la luna.

En la luna, nadie moría. Los viejos muy viejos se disolvían en el aire. Los luneros comían humo y transpiraban leche. Los ricos vestían ropas de cristal; los pobres, ropa ninguna. Los ricos tenían muchos ojos y los pobres, uno o ninguno.

Los luneros veían, en un espejo, todo lo que los terrestres hacían. Mientras duró la visita, Luciano y sus marineros recibieron, día tras día, las noticias de Atenas.

Julio
23

Gemelos

En 1944, en el paraíso turístico de Bretton Woods, se confirmó que estaban en gestación los hermanos gemelos que la humanidad necesitaba.

Uno iba a llamarse Fondo Monetario Internacional y el otro, Banco Mundial.

Como Rómulo y Remo, los gemelos fueron amamantados por la loba, y en la ciudad de Washington, cerquita de la Casa Blanca, encontraron residencia.

Desde entonces, los dos gobiernan a los gobiernos del mundo. En países donde han sido votados por nadie, los gemelos imponen el deber de obediencia como fatalidad del destino: vigilan, amenazan, castigan, toman examen:

—*¿Te has portado bien? ¿Has hecho los deberes?*

Malditos sean los pecadores

En el idioma arameo, que hablaban Jesús y sus apóstoles, una misma palabra significaba *deuda* y significaba *pecado*.

Dos milenios después, las deudas de los pobres son los pecados que merecen los peores castigos. La propiedad privada castiga a los privados de propiedad.

Julio
25

Receta para difundir la peste

En el siglo catorce, los fanáticos custodios de la fe católica declararon la guerra contra los gatos en las ciudades europeas.

Los gatos, animales diabólicos, instrumentos de Satán, fueron crucificados, empalados, desollados vivos o arrojados a las llamas.

Entonces las ratas, liberadas de sus peores enemigos, se hicieron dueñas de las ciudades. Y la peste negra, por las ratas trasmitida, mató a treinta millones de europeos.

Julio
26

Llueven gatos

En la gran isla de Borneo, los gatos comían a las lagartijas, que comían a las cucarachas, y las cucarachas comían a las avispas, que comían a los mosquitos.

El DDT no figuraba en el menú.

A mediados del siglo veinte, la Organización Mundial de la Salud bombardeó la isla con descargas masivas de DDT, para combatir la malaria, y aniquiló los mosquitos y todo lo demás.

Cuando las ratas se enteraron de que también los gatos habían muerto envenenados, invadieron la isla, devoraron los frutos de los campos y propagaron el tifus y otras calamidades.

Ante el imprevisto ataque de las ratas, los expertos de la Organización Mundial de la Salud reunieron su comité de crisis y resolvieron enviar gatos en paracaídas.

En estos días de 1960, decenas de felinos atravesaron el cielo de Borneo.

Los gatos aterrizaron suavemente, ovacionados por los humanos que habían sobrevivido a la ayuda internacional.

Julio
27

La locomotora de Praga

Hoy culminaron, en Helsinki, las Olimpíadas de 1952.

Emil Zatopek, imbatible corredor de fondo, fuerte y veloz como una locomotora, ganó tres medallas de oro. En su país fue declarado héroe nacional y se le otorgó el grado de coronel del ejército checoslovaco.

Unos años después, en 1968, Zatopek apoyó la insurrección popular y se opuso a la invasión soviética. Y el que era coronel fue barrendero.

Testamento

En 1890, en carta a su hermano Theo, Vincent van Gogh escribió:

Que sean mis cuadros los que digan.

Se mató al día siguiente.

Sus cuadros siguen diciendo.

Julio
29

Queremos otro tiempo

A lo largo de tres días, en 1830, seis mil barricadas convirtieron la ciudad de París en campo de batalla, y derrotaron a los soldados del rey.

Y cuando este día fue noche, la multitud acribilló, a pedradas y a balazos, los relojes: los grandes relojes de las iglesias y otros templos del poder.

Julio
30

Día de la amistad

Según decía Carlos Fonseca Amador, amigo es el que critica de frente y elogia por la espalda.

Y según dice la experiencia, el amigo de verdad es amigo en las cuatro estaciones. Los otros son amigos del verano, nomás.

El tiempo anunciado

En el tiempo antiguo, había ocurrido la insurrección de las cosas.

Según saben los mayas, antes del antes se habían sublevado los maltratados trastos de cocina, ollas quemadas, molcajetes machacados, cuchillos mellados, cazuelas rotas; y los dioses habían acompañado esa rebelión de las cosas.

Mucho tiempo después, en las plantaciones de Yucatán, los esclavos mayas, tratados como cosas, se habían alzado contra sus amos, que les daban órdenes a latigazos porque decían que ellos tenían el oído en la espalda.

En esta noche de 1847, estalló la guerra. Y durante medio siglo, los esclavos ocuparon las plantaciones y quemaron los documentos que legalizaban su esclavitud y la esclavitud de sus hijos y la esclavitud de los hijos de sus hijos.

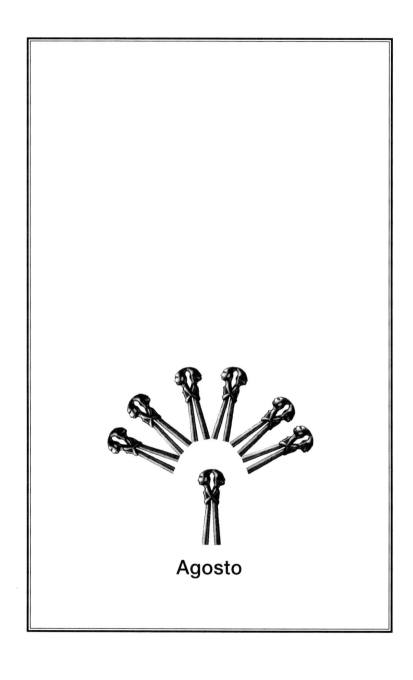

Agosto

Agosto
1

Madre nuestra que estás en la tierra

En los pueblos de los Andes, la madre tierra, la Pachamama, celebra hoy su fiesta grande.

Bailan y cantan sus hijos, en esta jornada inacabable, y van convidando a la tierra un bocado de cada uno de los manjares de maíz y un sorbito de cada uno de los tragos fuertes que les mojan la alegría.

Y al final, le piden perdón por tanto daño, tierra saqueada, tierra envenenada, y le suplican que no los castigue con terremotos, heladas, sequías, inundaciones y otras furias.

Ésta es la fe más antigua de las Américas.

Así saludan a la madre, en Chiapas, los mayas tojolabales:

> *Vos nos das frijoles,*
> *que bien sabrosos son*
> *con chile, con tortilla.*
>
> *Maíz nos das, y buen café.*
> *Madre querida,*
> *cuidanos bien, bien.*
> *Y que jamás se nos ocurra*
> *venderte a vos.*

Ella no habita el Cielo. Vive en las profundidades del mundo, y allí nos espera: la tierra que nos da de comer es la tierra que nos comerá.

Campeón

En este día del año 1980, el boxeador colombiano Kid Pambelé perdió, noqueado en la lona, su corona mundial.

Había nacido en Palenque, antiguo refugio de esclavos rebeldes; y antes de ser campeón del mundo vendía diarios, lustraba zapatos y boxeaba, a cambio de la comida, en pueblitos perdidos en el mapa.

Ocho años duró la gloria. Más de cien peleas, sólo doce derrotas.

Terminó tirando puñetazos contra su sombra en la pared.

Agosto
3

Los querientes

Esta historia empezó cuando los dioses, envidiosos de la pasión humana, castigaron a Zin Nu, la tejedora, y a su amante de nombre olvidado. Los dioses les cortaron el abrazo, que había hecho uno de dos, y los condenaron a la soledad. Desde entonces, ellos viven separados por la Vía Láctea, el gran río celeste, que les prohíbe el paso.

Pero una vez al año, y durante una sola noche, la séptima noche de la séptima luna, pueden encontrarse los desencontrados.

Las urracas ayudan. Uniendo sus alas, ellas tienden el puente en la noche del encuentro.

Las tejedoras, las bordadoras y las costureras de toda China ruegan que no llueva.

Si no llueve, la tejedora Zin Nu emprende el camino. La ropa que viste, y que pronto desvestirá, es obra de la maestría de sus manos.

Pero si llueve, las urracas no acuden, en el cielo no hay puente que una a los desunidos y en la tierra no hay fiesta que celebre las artes del amor y de la aguja.

Agosto
4

Ropa que cuenta

Hace unos dos mil años, fue aniquilada la gran ciudad de los miaos.

Según revelan antiguos manuscritos chinos, en algún lugar de la vasta llanura entre los ríos Amarillo y Yangtsé había una ciudad donde vivían *gentes que tienen alas y se llaman Miao.*

Hay casi diez millones de miaos en la China actual. Hablan una lengua que nunca tuvo escritura, pero ellos visten ropas que cuentan su grandeza perdida. Con hilos de seda tejen la historia de sus orígenes y sus éxodos, sus nacimientos y sus funerales, las guerras de los dioses y los hombres, y también la monumental ciudad que ya no está:

—*La llevamos puesta* —explica uno de los viejos más viejos—. *La puerta está en el capuchón. Las calles recorren toda la capa, y en las hombreras florecen nuestras huertas.*

El mentiroso que nació tres veces

En 1881, cuando Pinocho llevaba no más que dos meses de vida, ya era el ídolo de la infancia italiana. El libro que narraba sus aventuras se vendía como si fuera caramelo.

Pinocho había sido creado por el carpintero Geppetto, que a su vez había sido creado por el escritor Carlo Collodi. No bien Geppetto le hizo las manos, manos de madera de pino, el muñeco le voló la peluca, dejando en evidencia su calva cabeza. Y apenas le hizo las piernas, Pinocho se escapó corriendo y lo denunció a la policía.

Collodi ya estaba harto de los descalabros de este insoportable mequetrefe cuando decidió ahorcarlo, y lo dejó colgado de una rama de encina.

Pero poco después, obligado por los niños de toda Italia, no tuvo más remedio que resucitarlo; y ése fue su segundo nacimiento.

El tercer nacimiento demoró unos cuantos años. En 1940, Walt Disney lo bautizó en Hollywood. Pinocho emergió de una jalea de miel y lágrimas y volvió a la vida, milagrosamente abuenado.

Agosto
6

La bomba de Dios

En 1945, mientras este día nacía, murió Hiroshima. En el estreno mundial de la bomba atómica, la ciudad y su gente se hicieron carbón en un instante. Los pocos sobrevivientes deambulaban, mutilados, sonámbulos, entre las ruinas humeantes. Iban desnudos, y en sus cuerpos las quemaduras habían estampado las ropas que vestían cuando la explosión. En los restos de las paredes, el fogonazo de la bomba atómica había dejado impresas las sombras de lo que hubo: una mujer con los brazos alzados, un hombre, un caballo atado...

Tres días después, el presidente Harry Truman habló por radio.

Dijo:

—*Agradecemos a Dios que haya puesto la bomba en nuestras manos, y no en manos de nuestros enemigos; y le rogamos que nos guíe en su uso de acuerdo con sus caminos y sus propósitos.*

Espíame

En 1876, nació Mata Hari. Suntuosos lechos fueron sus campos de batalla en la primera guerra mundial. Altos jefes militares y políticos de mucho poder sucumbieron al encanto de sus armas, y le confiaron secretos que ella vendía a Francia, Alemania o a quien mejor le pagara.

En 1917, fue condenada a muerte.

La espía más deseada del mundo lanzó besos de adiós al pelotón de fusilamiento.

Ocho de los doce soldados erraron el tiro.

Agosto
8

Maldita América

Hoy murió, en 1553, el médico y escritor italiano Girolamo Fracastoro.

Entre otras enfermedades contagiosas, Fracastoro había investigado la sífilis, y había llegado a la conclusión de que esa enfermedad europea no provenía de los indios de las Américas.

En nuestros días, Moacyr Scliar, brasileño, colega de Fracastoro en la ciencia y en las letras, también desmiente el origen de la presunta maldición americana:

desde antes de la conquista del Nuevo Mundo ya los franceses llamaban a la sífilis *el mal italiano,* y los italianos la llamaban *el mal francés;*

los holandeses y los portugueses la llamaban *enfermedad española;*

era *enfermedad portuguesa* para los japoneses, *enfermedad alemana* para los polacos y *enfermedad polaca* para los rusos,

y los persas creían que era peste de los turcos.

Agosto
9

Día de los pueblos indígenas

Rigoberta Menchú nació en Guatemala, cuatro siglos y medio después de la conquista de Pedro de Alvarado y cinco años después de la conquista de Dwight Eisenhower.

En 1982, cuando el ejército arrasó las montañas mayas, casi toda la familia de Rigoberta fue exterminada, y fue borrada del mapa la aldea donde su ombligo había sido enterrado para que echara raíz.

Diez años después, ella recibió el Premio Nobel de la Paz. Y declaró:

—*Recibo este premio como un homenaje al pueblo maya, aunque llegue con quinientos años de demora.*

Los mayas son gente de paciencia. Han sobrevivido a cinco siglos de carnicerías.

Ellos saben que el tiempo, como la araña, teje despacio.

Agosto
10

Manuelas

Todos hombres. Pero era una mujer, Manuela Cañizares, quien los reclutaba y los reunía para que conspiraran en su casa.

La noche del 9 de agosto de 1809, los hombres pasaron horas y horas discutiendo, que sí, que no, que quién sabe, y no se decidían a proclamar de una buena vez la independencia de Ecuador. Y una vez más estaban postergando el asunto para mejor ocasión cuando Manuela los encaró y les gritó *cobardes, miedosos, nacidos para la servidumbre.* Y al amanecer del día de hoy, se abrió la puerta del nuevo tiempo.

Otra Manuela, Manuela Espejo, también precursora de la independencia americana, fue la primera periodista de Ecuador. Como ése era un oficio impropio para las damas, publicaba con seudónimo sus audaces artículos contra la mentalidad servil que humillaba a su tierra.

Y otra Manuela, Manuela Sáenz, ganó fama perpetua por ser la amante de Simón Bolívar, pero además ella fue ella: la mujer que combatió contra el poder colonial y contra el poder macho y sus hipócritas pacaterías.

Familia

Según se sabe en el África negra y en la América indígena, tu familia es tu aldea completa, con todos sus vivos y sus muertos.
Y tu parentela no termina en los humanos.
Tu familia también te habla en la crepitación del fuego,
en el rumor del agua que corre,
en la respiración del bosque,
en las voces del viento,
en la furia del trueno,
en la lluvia que te besa
y en el canterío de los pájaros que saludan tus pasos.

Agosto
12

Atletos y atletas

En 1928, culminaron las olimpíadas de Ámsterdam. Tarzán, alias Johnny Weissmuller, fue campeón de natación, y Uruguay, campeón de fútbol. Y por primera vez la llama olímpica, encendida en una torre, acompañó las jornadas del principio al fin.

Pero estos juegos resultaron memorables por otra novedad: por primera vez, participaron mujeres.

Nunca, en toda la historia de las olimpíadas, desde Grecia en adelante, se había visto nada igual.

En las olimpíadas griegas, las mujeres tenían prohibido competir, y ni siquiera podían asistir a los espectáculos.

Y el fundador de las olimpíadas modernas, el Barón de Coubertin, se opuso a la presencia femenina mientras duró su reinado:

—*Para ellas, la gracia, el hogar y los hijos. Para ellos, la competición deportiva.*

Agosto
13

El derecho a la valentía

En 1816, el gobierno de Buenos Aires otorgó el grado de teniente coronel a Juana Azurduy, *en virtud de su varonil esfuerzo.*

En la guerra de la independencia, ella había encabezado a los guerrilleros que arrancaron el cerro de Potosí de manos españolas.

Las mujeres tenían prohibido meterse en los masculinos asuntos de la guerra, pero los oficiales machos no tenían más remedio que admirar *el viril coraje de esta mujer.*

Al cabo de mucho galopar, cuando ya la guerra había matado a su marido y a cinco de sus seis hijos, también Juana murió. Murió en la pobreza, pobre entre los pobres, y fue arrojada a la fosa común.

Casi dos siglos después, el gobierno argentino, presidido por una mujer, la ascendió al grado de generala del ejército, *en homenaje a su femenina valentía.*

El maniático de los mosquitos

En 1881, el médico cubano Carlos Finlay reveló que la fiebre amarilla, también llamada vómito negro, era trasmitida por cierto mosquito hembra. Al mismo tiempo, dio a conocer una vacuna que podía acabar con esa peste.

Carlos, conocido en el vecindario como *el maniático de los mosquitos,* explicó su descubrimiento ante la Academia de Ciencias Médicas, Físicas y Naturales de La Habana.

Veinte años demoró el mundo en darse por enterado.

Durante esos veinte años, mientras prestigiosos científicos de prestigiosos lugares investigaban pistas falsas, la fiebre amarilla continuó matando gente.

Agosto
15

La perla y la corona

Winston Churchill había anunciado:

—*Es alarmante y nauseabundo ver a este señor Gandhi, este maligno y fanático subversivo... La verdad es que tarde o temprano tendremos que hacerle frente, a él y a todos los que lo apoyan, y finalmente aplastarlos. De nada vale tratar de calmar al tigre dándole comida de gato. Y no tenemos la menor intención de abandonar la más brillante y preciosa perla de nuestra corona, gloria y poder del Imperio Británico.*

Pero algunos años después, la perla abandonó la corona. En el día de hoy de 1947, la India conquistó su independencia.

El duro camino hacia la libertad se había abierto en 1930, cuando Mahatma Gandhi, escuálido, casi desnudo, llegó a una playa del océano Índico.

Era la marcha de la sal. Habían sido poquitos cuando la marcha partió, pero una multitud llegó a destino. Y cada uno recogió un puñado de sal y la llevó a la boca, y así cada uno violó la ley británica, que prohibía que los hindúes consumieran la sal de su propio país.

**Agosto
16**

Las semillas suicidas

Desde hace unos trescientos sesenta millones de años, las plantas vienen produciendo semillas fecundas, que generan nuevas plantas y nuevas semillas, y nunca han cobrado nada por ese favor que nos hacen.

Pero en 1998, fue otorgada a la empresa Delta and Pine la patente que santifica la producción y la venta de semillas estériles, que obligan a comprar nuevas semillas en cada siembra. A mediados de agosto del año 2006, la empresa Monsanto, de sacro nombre, se adueñó de la Delta and Pine, y también de la patente.

Así Monsanto consolidó su poder universal: las semillas estériles, llamadas *semillas suicidas* o *semillas Terminator,* integran el muy lucrativo negocio que también obliga a comprar herbicidas, pesticidas y otros venenos de la farmacia transgénica.

En la Pascua del año 2010, pocos meses después del terremoto, Haití recibió un gran regalo de Monsanto: sesenta mil bolsas de semillas producidas por la industria química. Los campesinos se juntaron para recibir la ofrenda, y quemaron todas las bolsas en una inmensa hoguera.

Agosto
17

Peligrosa mujer

En 1893 nació Mae West, carne de pecado, voraz vampiresa.

En 1927 marchó a la cárcel, con todo su elenco, por haber puesto en escena una invitación al placer, sutilmente llamada *Sex*, en un teatro de Broadway. Cuando terminó de purgar su *delito de obscenidad pública*, decidió mudarse de Broadway a Hollywood, del teatro al cine, creyendo que llegaba al reino de la libertad.

Pero el gobierno de los Estados Unidos impuso a Hollywood un certificado de corrección moral, que durante treinta y ocho años fue imprescindible para autorizar el estreno de cualquier película.

El Código Hays prohibió que el cine mostrara desnudos, danzas sugestivas, besos lascivos, adulterios, homosexualidades y otras perversiones que atentaran contra la santidad del matrimonio y el hogar. Ni las películas de Tarzán pudieron salvarse, y Betty Boop fue obligada a vestir falda larga. Y Mae West siguió metiéndose en líos.

La red de redes

En estos días de 1969, un grupo de científicos puso en marcha un nuevo proyecto de las fuerzas armadas de los Estados Unidos: se iba a crear una red de redes para conectar y coordinar las operaciones militares en una escala jamás vista.

En la guerra por la conquista de la tierra y del cielo, esta invención, que todavía no se llamaba Internet, resultó ser una victoria de los Estados Unidos contra la potencia rival, que todavía se llamaba Unión Soviética.

Paradójicamente, con el paso de los años, este instrumento de guerra también ha servido y sirve para multiplicar las voces de la paz, que antes sonaban en campana de palo.

Agosto
19

La guerra en el tablero

En 1575, se libró la primera batalla importante en la historia del ajedrez.

El vencedor, Leonardo da Cutri, recibió un premio de mil ducados, una capa de armiño y una carta de felicitación del rey español Felipe II.

El vencido, Ruy López de Segura, había escrito el libro que fundó el arte del combate de las negras contra las blancas en campo cuadriculado. En esa obra, el autor, que era clérigo, beatíficamente aconsejaba:

—*Cuando se ponga a jugar, si fuere día claro y al sol, procure que el enemigo tenga el sol de cara, porque lo ciegue. Y si fuese oscuro, y se jugare con lumbre, haga que tenga la luz a la mano derecha, porque le perturbe la vista, y la mano derecha, que trae por el tablero, le haga sombra, de modo que no vea bien dónde juega las piezas.*

Agosto
20

La mano de obra celestial

En la sierra ecuatoriana, se alza la iglesia de Licto. Esta fortaleza de la fe fue reconstruida, con piedras gigantescas, mientras nacía el siglo veinte.

Como ya no había esclavitud, o eso decía la ley, indios libres cumplieron la tarea: cargaron las piedras a sus espaldas, desde una cantera lejana, a varias leguas de allí, y unos cuantos dejaron la vida en el camino de quebradas profundas y senderos angostos.

Los curas cotizaban en piedras la salvación de los pecadores. Cada bautismo se pagaba con veinte bloques y veinticinco costaba una boda. Quince piedras era el precio de un entierro. Si la familia no las entregaba, el difunto no entraba al cementerio: se lo enterraba en *tierra mala,* y de ahí marchaba derechito al Infierno.

Agosto
21

La división del trabajo

En la universidad norteamericana de Stanford se realizó un revelador experimento sobre la relación entre el hombre y su función.

Los psicólogos reclutaron algunos estudiantes blancos, de buena educación, buena conducta y buena salud física y mental.

El vuelo de una moneda decidió quién sería carcelero y quién sería prisionero en una cárcel ficticia, inventada en los sótanos de la universidad.

Los prisioneros, desarmados, eran números sin nombres. Los carceleros, nombres sin números, llevaban cachiporras.

Parecía un juego, pero desde el primer día los que hacían el papel de carceleros empezaron a sentirle el gustito. El permiso para ir al baño sólo se otorgaba tras mucho rogar, los presos dormían desnudos en el piso de hormigón, y en celdas de castigo, sin comer ni beber, pagaban la insolencia de hablar en voz alta.

Golpes, insultos, humillaciones: poco duró el experimento. No más que una semana. En el día de hoy de 1971, se dio por concluido.

Agosto
22

La mejor mano de obra

El sacerdote francés Jean-Baptiste Labat recomendaba en uno de sus libros, publicado en 1742:

Los niños africanos de diez a quince años son los mejores esclavos para llevar a América. Se tiene la ventaja de educarlos para que marquen el paso como mejor convenga a sus amos. Los niños olvidan con más facilidad su país natal y los vicios que allí reinan, se encariñan con sus amos y están menos inclinados a la rebelión que los negros mayores.

Este piadoso misionero sabía de qué hablaba. En las islas francesas del mar Caribe, *Père Labat* ofrecía bautismos, comuniones y confesiones, y entre misa y misa vigilaba sus propiedades. Él era dueño de tierras y esclavos.

Agosto
23

La patria imposible

En 1791, otro amo de tierras y esclavos envió una carta desde Haití:

—*Los negros son muy obedientes, y siempre lo serán* —decía.

La carta estaba navegando hacia París cuando ocurrió lo imposible: en la noche del 22 al 23 de agosto, noche de tormenta, la mayor insurrección de esclavos de toda la historia de la humanidad estalló desde las profundidades de la selva haitiana. Y *esos negros muy obedientes* humillaron al ejército de Napoleón Bonaparte, que había invadido Europa desde Madrid hasta Moscú.

Agosto
24

Era el día del dios romano del fuego

Y era el año 79.

Plinio el Viejo navegaba al mando de una flota romana.

Al entrar en la bahía de Nápoles, vio que un humo negro venía creciendo desde el volcán Vesubio, un alto árbol que abría sus ramas hacia el cielo, y súbitamente cayó la noche en pleno día, tembló el mundo en violentas sacudidas y un bombardeo de piedras de fuego sepultó la fiestera ciudad de Pompeya.

Pocos años antes, el fuego había arrasado la ciudad de Lugdunum, y Séneca había escrito:

Hubo una sola noche entre la mayor ciudad y ninguna.

Lugdunum resucitó, y ahora se llama Lyon. Y Pompeya no desapareció: intacta bajo las cenizas, fue guardada por el volcán que la mató.

Agosto
25

El rescate de la ciudad prisionera

Al amanecer de este día de 1944, París enloqueció. La ocupación nazi había terminado.

Los primeros tanques y carros blindados habían entrado unas horas antes:

—¿*Son americanos?* —preguntaba el gentío.

Pero los nombres de esos tanques y esos blindados, torpemente escritos con pintura blanca, decían: *Guadalajara, Ebro, Teruel, Brunete, Madrid, Don Quijote, Durruti...*

Los primeros liberadores de París fueron los republicanos españoles.

Vencidos en su tierra, se habían batido por Francia.

Ellos creían que después España sería rescatada.

Se equivocaron.

La pureza de la fe

Iván el Terrible nació en 1530.

Para educar al pueblo en la fe cristiana, erigió en Moscú el gran templo de San Basilio, que sigue siendo el hermoso símbolo de la ciudad, y para perpetuar su cristiano poder envió al Infierno a unos cuantos pecadores, sus rivales, sus parientes:

arrojó a los perros al príncipe Andrei y al arzobispo Leonid;

asó vivo al príncipe Piotr;

partió a golpes de hacha a los príncipes Aleksander, Repnin, Snuyon, Nikolai, Dimitri, Telepnev y Tiutin;

ahogó en el río a su primo Vladimir, a su cuñada Aleksandra y a su tía Eudoxia;

envenenó a cinco de sus siete esposas,

y de un bastonazo mató a su hijo, el preferido, el que llevaba su nombre, porque se le parecía demasiado.

La pureza de la raza

En 1924, Adolf Hitler dictó en prisión su libro *Mi lucha.* En un día como hoy, trasmitió al escriba su enseñanza fundamental sobre la historia de la humanidad:

Todas las grandes culturas del pasado han sucumbido sólo porque la raza originalmente creativa murió por causa del envenenamiento de la sangre.

Catorce años después, Benito Mussolini proclamó, en su *Manifiesto de la raza:*

Los caracteres físicos y psicológicos puramente europeos de los italianos no deben ser alterados de ninguna manera. Ya es tiempo de que los italianos se proclamen francamente racistas.

"Yo tengo un sueño"

En este día de 1963, ante un inmenso gentío que cubría las calles de Washington, el pastor Martin Luther King soñó en voz alta:

—*Sueño que algún día mis hijos no serán juzgados por el color de su piel, sueño que algún día toda llanura se elevará y toda montaña encogerá...*

Por entonces, el FBI dictaminó que King era *el negro más peligroso para el futuro de esta nación,* y numerosos espías perseguían paso a paso sus días y sus noches.

Pero él siguió denunciando la humillación racial y la guerra de Vietnam, que convertía a los negros en carne de cañón, y sin pelos en la lengua decía que su país era *el mayor proveedor de violencia en el mundo.*

En 1968, una bala le partió la cara.

Agosto
29

Hombre de color

Querido hermano blanco:
Cuando yo nací, era negro.
Cuando crecí, era negro.
Cuando me da el sol, soy negro.
Cuando estoy enfermo, soy negro.
Cuando muera, seré negro.
Y mientras tanto, tú:
Cuando naciste, eras rosado.
Cuando creciste, fuiste blanco.
Cuando te da el sol, eres rojo.
Cuando sientes frío, eres azul.
Cuando sientes miedo, eres verde.
Cuando estás enfermo, eres amarillo.
Cuando mueras, serás gris.
Entonces, ¿cuál de nosotros dos es un hombre de color?

(De Léopold Senghor, poeta de Senegal)

Agosto
30

Día de los desaparecidos

Desaparecidos: los muertos sin tumba, las tumbas sin nombre.
Y también:
los bosques nativos,
las estrellas en la noche de las ciudades,
el aroma de las flores,
el sabor de las frutas,
las cartas escritas a mano,
los viejos cafés donde había tiempo para perder el tiempo,
el fútbol de la calle,
el derecho a caminar,
el derecho a respirar,
los empleos seguros,
las jubilaciones seguras,
las casas sin rejas,
las puertas sin cerradura,
el sentido comunitario
y el sentido común.

Héroes

En 1943, durante la segunda guerra mundial, el general George Patton arengaba así a sus soldados:

¡Ustedes están aquí porque son hombres de verdad y todos los hombres de verdad aman la guerra!

¡Los americanos tenemos el orgullo de ser hombres-machos, y somos hombres-machos!

¡América ama a los ganadores! ¡América no tolera a los perdedores! ¡América desprecia a los cobardes! ¡Los americanos siempre apostamos a ganar! ¡Por eso América nunca ha perdido y jamás perderá una guerra!

Él era un reencarnado. Antes de ingresar al ejército de los Estados Unidos, había sido guerrero en Cartago y en Atenas, caballero en la corte inglesa y mariscal de Napoleón Bonaparte.

El general Patton murió, en el último día de 1945, atropellado por un camión.

Setiembre

Traidores

En el año 2009, se erigió en Alemania un monumento a los soldados desertores.

Resulta raro un reconocimiento así, entre tantos monumentos que la historia de la humanidad va regando a su paso.

¿Homenaje a los traidores? Sí, los desertores son traidores. Traidores a las guerras.

El inventor de las guerras preventivas

En 1939, Hitler invadió Polonia porque Polonia iba a invadir Alemania.

Mientras un millón y medio de soldados alemanes se derramaban sobre el mapa polaco, y una lluvia de bombas caía desde los aviones, Hitler exponía su doctrina de las guerras preventivas: más vale prevenir que curar, yo mato antes de que me maten.

Hitler hizo escuela. Desde entonces, todas las guerras digestivas, países que comen países, dicen ser guerras preventivas.

Setiembre
3

Gente agradecida

Un año después de la invasión de Polonia, Hitler continuaba su imparable embestida, y estaba devorando media Europa. Ya habían caído, o estaban al caer, Austria, Checoslovaquia, Finlandia, Noruega, Dinamarca, Holanda, Bélgica y Francia, y ya habían comenzado los bombardeos nocturnos contra Londres y otras ciudades británicas.

En su edición de hoy de 1940, el diario español *ABC* informaba que habían sido derribados *ciento dieciséis aviones enemigos* y no ocultaba su satisfacción ante *el gran éxito de los ataques del Reich*.

En la tapa del diario sonreía, triunfante, el generalísimo Francisco Franco. La gratitud era una de sus virtudes.

Setiembre
4

Te doy mi palabra

En el año 1970, Salvador Allende ganó las elecciones y se consagró presidente de Chile.

Y dijo:

—*Voy a nacionalizar el cobre.*

Y dijo:

—*Yo de aquí no salgo vivo.*

Y cumplió su palabra.

Combata la pobreza: mate a un pobre

En 1638 nació Luis XIV, rey de Francia, Rey Sol.

El Rey Sol vivió dedicado a las gloriosas guerras contra sus vecinos y al cuidado de su ruluda peluca, sus capas espléndidas y sus zapatos de taco alto.

Bajo su reinado, dos hambrunas sucesivas mataron a más de dos millones de franceses.

Se supo la cifra gracias a que Blaise Pascal había inventado, medio siglo antes, la calculadora mecánica. Y se supo el motivo gracias a Voltaire, que tiempo después escribió:

—La buena política conoce este secreto: cómo hacer morir de hambre a los que permiten vivir a los demás.

La comunidad internacional

El cocinero convocó al ternero, al lechón, al avestruz, a la cabra, al venado, al pollo, al pato, a la liebre, al conejo, a la perdiz, al pavo, a la paloma, al faisán, a la merluza, a la sardina, al bacalao, al atún, al pulpo, al camarón, al calamar y hasta al cangrejo y la tortuga, que fueron los últimos en llegar.

Y cuando estuvieron todos, el cocinero explicó:

—*Los he reunido para preguntarles con qué salsa quieren ser comidos.*

Entonces, alguno de los invitados dijo:

—*Yo no quiero ser comido de ninguna manera.*

El cocinero dio por finalizada la reunión.

El visitante

En estos días del año 2000, ciento ochenta y nueve países elaboraron la Declaración del Milenio, que los comprometía a resolver todos los dramas del mundo. El único objetivo que se ha cumplido no figuraba en la lista: se ha logrado multiplicar la cantidad de expertos necesarios para llevar adelante tan difíciles tareas. Según escuché decir en Santo Domingo, uno de esos expertos estaba recorriendo las afueras de la ciudad cuando se detuvo ante el gallinero de doña María de las Mercedes Holmes, y le preguntó:

—*Si yo le digo, exactamente, cuántas gallinas tiene, ¿usted me da una?*

Y encendió su computadora tablet con pantalla táctil, activó el GPS, se conectó a través de su teléfono celular 3g con el sistema de fotos satelitales y puso en funcionamiento el contador de píxeles:

—*Usted tiene ciento treinta y dos gallinas.*

Y atrapó una.

Doña María de las Mercedes no se quedó callada:

—*Si yo le digo en qué trabaja usted, ¿me devuelve la gallina? Entonces, le digo: Usted es un experto internacional. Yo me di cuenta porque vino sin que nadie lo llamara, se metió en mi gallinero sin pedir permiso, me dijo algo que yo ya sabía y me cobró por eso.*

Setiembre
8

Día de la alfabetización

Sergipe, nordeste del Brasil: Paulo Freire inicia una nueva jornada de trabajo con un grupo de campesinos muy pobres, que se están alfabetizando.

—*¿Cómo estás, João?*

João calla. Estruja su sombrero. Largo silencio, y por fin dice:

—*No pude dormir. Toda la noche sin pegar los ojos.*

Más palabras no le salen de la boca, hasta que murmura:

—*Ayer yo escribí mi nombre por primera vez.*

Estatuas

José Artigas vivió peleando, a lomo de un caballito criollo, y durmiendo bajo las estrellas. Mientras gobernó sus tierras libres, tuvo por trono un cráneo de vaca y un poncho por único uniforme.

Con lo puesto marchó al exilio, y en la pobreza murió.

Ahora un enorme prócer de bronce nos contempla, montado en brioso corcel, desde lo alto de la plaza más importante del Uruguay.

Ese victorioso héroe, ataviado para la gloria, es idéntico a todas las efigies de todos los próceres militares que el mundo venera.

Él dice ser José Artigas.

La primera reforma agraria de América

Ocurrió en 1815, cuando el Uruguay todavía no era país, ni se llamaba así.

En nombre del pueblo alzado, José Artigas expropió *las tierras de los malos europeos y peores americanos,* y mandó que se repartieran.

Fue la primera reforma agraria de América, medio siglo antes que Lincoln y un siglo antes que Emiliano Zapata.

Proyecto criminal, clamaron los ofendidos, y para colmo, Artigas advirtió:

—*Los más infelices serán los más privilegiados.*

Cinco años después, Artigas, derrotado, marchó al exilio, y en el exilio murió.

Las tierras repartidas fueron arrebatadas a los más infelices, pero la voz de los vencidos sigue diciendo, misteriosamente:

—*Naides es más que naides.*

Día contra el terrorismo

Se busca a los secuestradores de países.

Se busca a los estranguladores de salarios y a los exterminadores de empleos.

Se busca a los violadores de la tierra, a los envenenadores del agua y a los ladrones del aire.

Se busca a los traficantes del miedo.

Setiembre
12

Palabras vivientes

En este día de 1921, nació Amílcar Cabral en la colonia portuguesa de Guinea-Bissau, en el oeste del África. Él encabezó la guerra de independencia de Guinea-Bissau y las islas de Cabo Verde. Palabras suyas:

Cuidado con el militarismo. Somos militantes armados, no somos militares. La alegría de vivir está por encima de todo. Las ideas no viven solamente en la cabeza. Ellas viven también en el alma y el corazón y el estómago y todo lo demás. Hay que escuchar a la gente, aprender de la gente. No escondan nada ante el pueblo. No digan mentiras: denúncienlas. No pongan máscaras a las dificultades, los errores, las caídas. No canten fáciles victorias.

En 1973, Amílcar Cabral fue asesinado.

No pudo celebrar la independencia de los nuevos países que tanto había ayudado a nacer.

Setiembre
13

El viajero inmóvil

Si no recuerdo mal, en 1883 nació Sandokán, príncipe y pirata, tigre de la Malasia.

Sandokán brotó de la mano de Emilio Salgari, como otros personajes que acompañaron mi infancia. El papá, Emilio Salgari, había nacido en Verona, y nunca navegó más allá de las costas italianas. Nunca estuvo en el golfo de Maracaibo, ni en la selva de Yucatán, ni en los puertos de esclavos de la Costa de Marfil, ni conoció a los pescadores de perlas de las islas Filipinas, ni a los sultanes de Oriente, ni a los piratas de la mar, ni a las jirafas del África, ni a los búfalos del Far West.

Pero gracias a él, yo sí estuve, yo sí conocí.

Cuando mi mamá no me dejaba salir más allá de la esquina de mi casa, las novelas de Salgari me llevaron a navegar los siete mares del mundo y otros mares más.

Salgari me presentó a Sandokán y a lady Mariana, su amor imposible; a Yáñez el navegante; al Corsario Negro y a Honorata, la hija de su enemigo, y a tantos amigos que él había inventado para que lo salvaran del hambre y le acompañaran la soledad.

La independencia como medicina preventiva

En la noche de hoy de 1821, unos poquitos caballeros redactaron el Acta de Independencia de Centroamérica, que solemnemente firmaron en la mañana siguiente.

El Acta dice, o más bien confiesa, que había que declarar sin demora la independencia, *para prevenir las consecuencias que serían terribles en el caso de que la proclamase de hecho el mismo pueblo.*

Setiembre
15

¡Adopte un banquerito!

En el año 2008, se fue a pique la Bolsa de Nueva York. Días históricos, días históricos: los banqueros, que son los más peligrosos asaltantes de bancos, habían desvalijado sus empresas, aunque jamás fueron filmados por las cámaras de vigilancia y ninguna alarma sonó. Y ya no hubo manera de evitar el derrumbe general. El mundo entero se desplomó, y hasta la luna tuvo miedo de perder su trabajo y verse obligada a buscar otro cielo.

Los magos de Wall Street, expertos en la venta de castillos en el aire, robaron millones de casas y de empleos, pero sólo un banquero fue a la cárcel. Los demás imploraron a gritos una ayudita por amor de Dios y recibieron, por mérito de sus afanes, la mayor recompensa jamás otorgada en la historia humana.

Ese dineral hubiera alcanzado para dar de comer a todos los hambrientos del mundo, con postre incluido, de aquí a la eternidad. A nadie se le ocurrió la idea.

Setiembre
16

Baile de disfraces

A las dos de la mañana de hoy, en el año 1810, Miguel Hidalgo gritó el grito que abrió paso a la independencia de México.

Cuando el grito iba a cumplir un siglo, en 1910, el dictador Porfirio Díaz anticipó en un día la celebración, para que coincidiera con su cumpleaños; y el Centenario se festejó a lo grande. La ciudad de México, lustrada y maquillada, recibió a los distinguidos invitados de más de treinta países, sombreros de copa, sombreros de plumas, abanicos, guantes, oros, sedas, discursos... El Comité de Damas escondió a los mendigos y calzó a los niños de la calle.

Los indios fueron pantalonizados, pantalones gratuitamente distribuidos, mientras se prohibía el ingreso de los que vestían sus tradicionales calzones de manta. Don Porfirio colocó la piedra fundacional de la cárcel de Lecumberri y solemnemente inauguró el Manicomio General, con capacidad para mil locos.

Un impresionante desfile relató la historia nacional. Un alumno de la Escuela Dental representó a Hernán Cortés, el primer voluntario que vino a mejorar la raza, y un indio triste desfiló disfrazado de emperador Moctezuma. Una corte francesa, al estilo Luis XVI, ocupó el carro alegórico que más ovaciones arrancó.

Libertadoras mexicanas

Y se acabó la fiesta del Centenario, y toda esa fulgurante basura fue barrida.

Y estalló la revolución.

La historia recuerda a los jefes revolucionarios, Zapata, Villa y otros machos machos. Las mujeres, que en silencio vivieron, al olvido se fueron.

Algunas pocas guerreras se negaron a ser borradas:

Juana Ramona, la Tigresa, que tomó varias ciudades por asalto;

Carmen Vélez, la Generala, que dirigió a trescientos hombres;

Ángela Jiménez, maestra en dinamitas, que decía ser Ángel Jiménez;

Encarnación Mares, que se cortó las trenzas y llegó a subteniente escondiéndose bajo el ala del sombrerote, *para que no se me vea la mujer en los ojos;*

Amelia Robles, que tuvo que ser Amelio, y llegó a coronel;

Petra Ruiz, que tuvo que ser Pedro, la que más balas echó para abrir las puertas de la ciudad de México;

Rosa Bobadilla, hembra que se negó a ser hombre y con su nombre peleó más de cien batallas;

y María Quinteras, que había pactado con el Diablo y ni una sola batalla perdió. Los hombres obedecían sus órdenes. Entre ellos, su marido.

La primera doctora

En 1915, murió Susan La Flesche.

A los veinticinco años, Susan había sido la primera indígena doctorada en medicina en los Estados Unidos. Hasta entonces, no había ni un solo médico en la reserva donde malvivían los indios omahas.

Susan fue la primera y la única, la médica de todos, en los días y en las noches, sola en la nieve y en el sol. Y ella fue capaz de combinar la medicina aprendida con la sabiduría heredada, las terapias de la universidad y las recetas de sus abuelos, para que la vida de los omahas doliera menos y durara más.

La primera almiranta

La batalla de Salamina culminó cinco siglos antes de Cristo.

Artemisa, primera almiranta de la historia universal, había advertido a Jerjes, rey de Persia: el estrecho de Dardanelos era mal lugar para que las pesadas naves persas combatieran contra los ágiles trirremes griegos.

Jerjes no la escuchó.

Pero en plena batalla, cuando su flota estaba sufriendo tremenda paliza, no tuvo más remedio que dejar el mando en manos de Artemisa, y así pudo salvar, al menos, algunos barcos y algo de honra.

Jerjes, avergonzado, reconoció:

—*Los hombres se han convertido en mujeres, y las mujeres en hombres.*

Mientras tanto, lejos de allí, un niño llamado Heródoto cumplía sus primeros cinco años de vida.

Tiempo después, él contó esta historia.

Campeonas

En el año 2003, se disputó el tercer campeonato mundial de fútbol femenino.

Al fin del torneo, las jugadoras alemanas fueron campeonas; y en el año 2007 nuevamente alzaron el trofeo mundial.

Ellas no habían recorrido un camino de rosas.

Desde 1955, y hasta 1970, el fútbol había sido prohibido a las mujeres alemanas.

La Asociación Alemana de Fútbol había explicado por qué:

En la lucha por la pelota, desaparece la elegancia femenina, y el cuerpo y el alma sufren daños. La exhibición del cuerpo ofende al pudor.

Profeta de sí

Girolamo Cardano escribió tratados de álgebra y de medicina, encontró la solución de algunas ecuaciones insolubles, describió por vez primera la fiebre tifoidea, investigó las causas de la alergia y fue el inventor de algunos instrumentos que todavía utilizan los navegantes.

Además, en los ratos libres, lanzaba profecías.

Cuando consultó la carta astral de Jesús de Nazaret, y dijo que su destino estaba escrito en las estrellas, la Santa Inquisición lo metió preso.

Cuando salió de la cárcel, Girolamo anunció:

—*Moriré el 21 de setiembre de 1576.*

Desde que formuló la profecía, dejó de comer.

Y acertó.

Día sin autos

Los ecologistas y otros irresponsables proponen que por un día, en el día de hoy, los automóviles desaparezcan del mundo.

¿Un día sin autos? ¿Y si el ejemplo se contagia y ese día pasa a ser todos los días?

Dios no lo quiera, y el Diablo tampoco.

Los hospitales y los cementerios perderían su más numerosa clientela.

Las calles se llenarían de ridículos ciclistas y patéticos peatones.

Los pulmones ya no podrían respirar el más sabroso de los venenos.

Las piernas, que se han olvidado de caminar, tropezarían con cualquier piedrita.

El silencio aturdiría los oídos.

Las autopistas serían deprimentes desiertos.

Las radios, las televisiones, las revistas y los periódicos perderían a sus más generosos anunciantes.

Los países petroleros quedarían condenados a la miseria.

El maíz y la caña de azúcar, ahora convertidos en comida de autos, regresarían al humilde plato humano.

Navegaciones

La llamaban la Mulata de Córdoba, no se sabe por qué. Mulata era, pero había nacido en el puerto de Veracruz, y allí vivía desde siempre.

Se decía que era hechicera. Allá por el año 1600 y pico, el toque de sus manos curaba a los enfermos y enloquecía a los sanos.

Sospechando que el Demonio la habitaba, la Santa Inquisición la encerró en la fortaleza de la isla de San Juan de Ulúa.

En su celda, ella encontró un carbón, que algún antiguo fuego había dejado allí.

Con ese carbón se puso a garabatear la pared; y su mano dibujó, sin querer queriendo, un barco. Y el barco se desprendió de la pared y a la mar abierta se llevó a la prisionera.

El mago inventor

En el año 1912, el mago Houdini estrenó, en el circo Busch de Berlín, su nuevo espectáculo:

¡La cámara de tortura acuática!
¡El invento más original de esta época y de todas las épocas!

Era un tanque lleno de agua hasta el tope, herméticamente sellado, donde Houdini se sumergía, boca abajo, con grilletes que le ataban las manos y los tobillos. El público podía verlo a través de una pared de cristal, Houdini metido en el agua sin respirar, hasta que al fin de un rato largo como siglos, el ahogado emergía del tanque.

Houdini no sospechaba que muchos años después esta asfixia sería la tortura preferida por las dictaduras militares latinoamericanas, y la más elogiada por el experto George W. Bush.

El sabio preguntón

Miguel Ignacio Lillo no estudió en la universidad; pero supo reunir, libro tras libro, una biblioteca científica que le ocupaba toda la casa.

Un día como hoy, allá por 1915, unos cuantos estudiantes tucumanos pasaron toda una tarde en esa casa de libros, y quisieron saber cómo hacía don Miguel para conservarlos tan bien.

—*Mis libros toman aire* —explicó el sabio—. *Yo los abro. Los abro y les pregunto. Leer es preguntar.*

Don Miguel preguntaba a los libros, y mucho más preguntaba a la tierra.

Por el gusto de andar preguntando, recorrió a caballo todo el norte argentino, palmo a palmo, paso a paso, y así conoció secretos que el mapa escondía, antiguos decires y vivires, los cantos de los pájaros que las ciudades ignoraban, las farmacias silvestres que a campo abierto se ofrecían.

No son pocas las aves y las plantas que él bautizó.

¿Cómo era el mundo cuando empezaba a ser mundo?

Florentino Ameghino fue otro sabio preguntón.

Paleontólogo desde la infancia, era niño todavía cuando, allá por 1865, armó su primer gigante prehistórico en un pueblo de la provincia de Buenos Aires. Un día como hoy emergió cargado de huesos, desde lo hondo de una cueva profunda, y en la calle fue colocando mandíbulas, vértebras, caderas...

—*Es un monstruo de la época mesozoica* —explicó a los vecinos—. *Muy antiguo. Ustedes ni se imaginan.*

Y a sus espaldas doña Valentina, la carnicera, ya no pudo aguantarse la risa:

—*Pero mijito... ¡Si son huesos de zorro!*

Y eran.

Eso no lo desalentó.

A lo largo de su vida reunió sesenta mil huesos de nueve mil animales extinguidos, reales o imaginarios, y escribió diecinueve mil páginas que le valieron la medalla de oro y el diploma de honor de la Exposición Universal de París.

Setiembre
27

Pompas fúnebres

Durante las once presidencias de Antonio López de Santa Anna, México perdió la mitad de su territorio y el presidente perdió una pierna. Medio México fue almorzado por el vecino del norte, al cabo de algunas batallas y a cambio de quince millones de dólares, y la pierna, caída en combate, fue enterrada en el día de hoy de 1842, con honores militares, en el cementerio Santa Paula.

El presidente, llamado Héroe, Águila, Benemérito, Guerrero Inmortal, Padre de la Patria, Alteza Serenísima, Napoleón del Oeste y César Mexicano, vivía en una mansión de Xalapa, que más bien parecía un palacio de Versalles.

El presidente había traído de París todos los muebles y los adornos y los adornitos. En el dormitorio tenía un enorme espejo, curvilíneo, que mejoraba a quien en él se contemplara. Cada mañana, al despertar, se paraba ante el mágico espejo que le devolvía la imagen de un caballero alto y apuesto. Y honesto.

Receta para tranquilizar a los lectores

Hoy es el día internacionalmente consagrado al derecho humano a la información.

Quizá sea oportuno recordar que un mes y pico después de las bombas atómicas que aniquilaron Hiroshima y Nagasaki, el diario *The New York Times* desmintió los rumores que estaban asustando al mundo. El 12 de setiembre de 1945, este diario publicó, en primera página, un artículo firmado por su redactor de temas científicos, William L. Laurence. El artículo salía al encuentro de las versiones alarmistas y aseguraba que no había ninguna radiactividad en esas ciudades arrasadas, y que la tal radiactividad no era más que *una mentira de la propaganda japonesa.*

Gracias a esta revelación, Laurence ganó el Premio Pulitzer.

Tiempo después, se supo que él cobraba dos salarios mensuales: *The New York Times* le pagaba uno, y el otro corría por cuenta del presupuesto militar de los Estados Unidos.

Setiembre
29

Un precedente peligroso

En 1948, Seretse Khama, el príncipe negro de Botswana, se casó con Ruth Williams, que era inglesa y blanca. A nadie le cayó bien la noticia. Y la corona británica, dueña y señora de buena parte del África negra, nombró una comisión de expertos para estudiar el asunto. *La boda entre dos razas sienta un precedente peligroso,* dictaminó la comisión del reino británico, y la pareja fue condenada al exilio.

Khama encabezó, desde el destierro, la lucha por la independencia de Botswana. En 1966, se convirtió en el primer presidente, elegido por amplia mayoría, en votación indudable.

Entonces recibió, en Londres, el título de *sir.*

Día de los traductores

Desde el sur de Veracruz, un muchacho se lanzó al camino.

Al regreso, años después, el padre quiso saber qué había aprendido.

El hijo contestó:

— *Soy traductor. Aprendí el idioma de los pájaros.*

Y cuando un pájaro cantó, el padre exigió:

—*Si no eres un jodido mentiroso, dime lo que dijo el pájaro ése.*

El hijo negó, suplicó que mejor no lo sepas, que no te gustará saberlo; pero por fin, obligado, tradujo el canto del pájaro.

El padre palideció. Y lo echó de la casa.

Octubre

Octubre
1

La isla vaciada

—*Las gaviotas serán la única población indígena*
—había anunciado el gobierno británico.
Y en 1966, cumplió su palabra.

Todos los habitantes de la isla Diego García, excepto
las gaviotas, fueron enviados al destierro, a bayonetazos
y balazos.

Y el gobierno británico alquiló la isla vaciada a los
Estados Unidos, por medio siglo.

Y este paraíso de blancas arenas, en medio del océano Índico, se convirtió en base militar, estación de satélites espías, cárcel flotante y cámara de torturas para los sospechosos de terrorismo, y plataforma de lanzamiento para la aniquilación de los países que merecen castigo.

También tiene campo de golf.

Octubre
2

Este mundo enamorado de la muerte

Hoy, Día internacional de la no violencia, puede ser útil recordar una frase del general Dwight Eisenhower, que no era exactamente un militante pacifista. En 1953, siendo presidente de la nación que más dinero gasta en armas, reconoció:

—*Cada una de las armas fabricadas, cada buque de guerra que se echa a navegar, cada proyectil que se dispara, es un robo a los hambrientos que no tienen comida y a los desnudos que no tienen abrigo.*

Octubre
3

Para rizar el rizo

En 1905, el peluquero alemán Karl Nessler inventó la permanente.

Los experimentos habían estado a punto de incinerar la cabeza de su mujer, abnegada mártir de la Ciencia, hasta que por fin Karl encontró la fórmula perfecta para crear rulos y mantenerlos enrulados, durante dos días en la realidad y durante algunas semanas en la publicidad.

Entonces, él se puso un nombre francés, Charles, para otorgar fineza al producto.

Al paso del tiempo, los rulos dejaron de ser un privilegio femenino.

Unos cuantos hombres se atrevieron.

Nosotros, los calvos, no.

Octubre
4

Día de los animales

Hasta hace algún tiempo, muchos europeos sospechaban que los animales eran demonios disfrazados.

Las ejecuciones de los bichos endemoniados, por horca o por fuego, eran espectáculos públicos tan exitosos como la quemazón de las brujas amantes de Satán.

El 18 de abril de 1499, en la abadía francesa de Josafat, cerca de Chartres, un cerdo de tres meses de edad fue sometido a proceso criminal.

Como todos los cerdos, él no tenía alma ni razón, y había nacido para ser comido. Pero en lugar de ser comido, comió: fue acusado de haber almorzado a un niño.

La acusación no estaba fundada en ninguna evidencia.

A falta de pruebas, el cerdito pasó a ser culpable cuando el fiscal, Jean Levoisier, licenciado en Derecho, alcalde mayor del monasterio de Saint Martin de Laon, reveló que la devoración había ocurrido en Viernes Santo.

Entonces el juez dictó sentencia. Pena capital.

Octubre
5

El último viaje de Colón

En 1992, la República Dominicana culminó la erección del faro más descomunal del mundo, tan alto que sus luces perturban el sueño de Dios.

El faro fue alzado en homenaje a Cristóbal Colón, el almirante que inauguró el turismo europeo en el mar Caribe.

En vísperas de la ceremonia, las cenizas de Colón fueron trasladadas desde la catedral de Santo Domingo hasta el mausoleo construido al pie del faro.

Mientras ocurría la mudanza de las cenizas, falleció de muerte súbita Emma Balaguer, que había dirigido las obras, y se derrumbó la tarima donde el Papa de Roma iba a pronunciar su bendición.

Algunos malpensados confirmaron, así, que Colón da mala suerte.

Octubre
6

Los últimos viajes de Cortés

En 1547, cuando sintió que la muerte le estaba haciendo cosquillas, Hernán Cortés mandó que lo sepultaran en México, en el convento de Coyoacán, que iba a honrar su memoria. Cuando murió, el convento seguía en veremos, y el difunto tuvo que alojarse en diversos domicilios de Sevilla.

Por fin consiguió lugar en un barco que lo llevó a México, donde encontró residencia, junto a su madre, en la iglesia de San Francisco de Texcoco. De ahí pasó a otra iglesia, junto al último de sus hijos, hasta que el virrey ordenó que se mudara al Hospital de Jesús y que se quedara allí, guardado en lugar secreto, a salvo de los patriotas mexicanos locos de ganas de profanarlo.

La llave de la urna fue pasando de mano en mano, de fraile en fraile, durante más de un siglo y medio, hasta que no hace mucho los científicos muertólogos confirmaron que esa pésima dentadura y esos huesos marcados por la sífilis son todo lo que queda del cuerpo del conquistador de México.

Del alma, nada se sabe. Dicen que dicen que Cortés había encargado esa tarea a un almero de Usumacinta, un indio llamado Tomás, que tenía un almario donde guardaba, en frasquitos, las almas idas en el último suspiro; pero eso nunca se pudo confirmar.

Octubre
7

Los últimos viajes de Pizarro

Los científicos que identificaron a Hernán Cortés también confirmaron que Francisco Pizarro reside en Lima. Es suyo ese hueserío, acribillado por las estocadas y abollado por los golpes, que atrae a los turistas.

Pizarro, criador de cerdos en España y marqués en América, había sido asesinado en 1541 por sus colegas conquistadores, cuando heroicamente disputaban el botín del imperio de los incas.

Fue enterrado a escondidas, en el patio de afuera de la catedral.

Cuatro años después, lo dejaron entrar. Encontró lugar bajo el altar mayor, hasta que se perdió en un terremoto.

Perdido anduvo, mucho tiempo.

En 1891, una multitud de admiradores pudo contemplar su momia, en urna de cristal; y al rato nomás se supo que esa momia impostora se hacía pasar por Pizarro, pero no era.

En 1977, los albañiles que estaban reparando la cripta de la catedral encontraron un cráneo, que alguna vez había sido atribuido al héroe. Siete años más tarde, un cuerpo acudió al encuentro del cráneo y Pizarro, por fin completo, fue trasladado con gran pompa a una capilla ardiente de la catedral.

Desde entonces se exhibe en Lima, la ciudad por él fundada.

Los tres

En 1967, mil setecientos soldados acorralaron al Che Guevara y a sus poquitos guerrilleros en Bolivia, en la Quebrada del Yuro. El Che, prisionero, fue asesinado al día siguiente.

En 1919, Emiliano Zapata había sido acribillado en México.

En 1934, mataron a Augusto César Sandino en Nicaragua.

Los tres tenían la misma edad, estaban por cumplir cuarenta años.

Los tres cayeron a balazos, a traición, en emboscada.

Los tres, latinoamericanos del siglo veinte, compartieron el mapa y el tiempo.

Y los tres fueron castigados por negarse a repetir la historia.

Octubre
9

Yo lo vi que me veía

En 1967, cuando el Che Guevara yacía en la escuela de La Higuera, asesinado por orden de los generales bolivianos y sus lejanos mandantes, una mujer contó lo que había visto. Ella era una más, campesina entre los muchos campesinos que entraron en la escuela y caminaron, lentamente, alrededor del muerto:

—*Pasábamos por allí y él nos miraba. Pasábamos por allá y él nos miraba. Él siempre nos miraba. Muy simpático era.*

Octubre
10

El Padrino

Según me contaron mis amigos sicilianos, don Genco Russo, *capo dei capi* de la mafia, llegó a la cita con una estudiada demora de dos horas y media.

En Palermo, en el hotel Sole, lo esperaba Frank Sinatra.

Y en este mediodía de 1963, el ídolo de Hollywood rindió pleitesía al monarca de Sicilia: Frank Sinatra se arrodilló ante don Genco y le besó la mano derecha.

En el mundo entero, Sinatra era La Voz, pero en la tierra de sus antepasados, más importante que la voz era el silencio.

El ajo, símbolo del silencio, es uno de los cuatro alimentos sagrados en la misa de la mesa mafiosa: los otros son el pan, símbolo de la unión; la sal, emblema del coraje, y el vino, que es la sangre.

Octubre
11

La dama que atravesó tres siglos

Alice nació esclava, en 1686, y esclava vivió ciento dieciséis años.

Cuando murió, en 1802, con ella murió una parte de la memoria de los africanos en América. Alice no sabía leer ni escribir, pero estaba toda llena de voces que contaban y cantaban leyendas llegadas de lejos y también historias vividas de cerca. Algunas de esas historias venían de los esclavos que ella ayudaba a fugarse.

A los noventa años, quedó ciega.

A los ciento dos, recuperó la vista:

—*Fue Dios* —dijo—. *Él no me podía fallar.*

La llamaban Alice del Ferry Dunks. Al servicio de su dueño, trabajaba en el ferry que llevaba y traía pasajeros a través del río Delaware.

Cuando los pasajeros, siempre blancos, se burlaban de esta vieja viejísima, ella los dejaba varados en la otra orilla del río. Ellos la llamaban a gritos, pero no había caso. Era sorda la que había sido ciega.

Octubre
12

El Descubrimiento

En 1492, los nativos descubrieron que eran indios,
descubrieron que vivían en América,
descubrieron que estaban desnudos,
descubrieron que existía el pecado,
descubrieron que debían obediencia a un rey y a una
reina de otro mundo y a un dios de otro cielo,
y que ese dios había inventado la culpa y el vestido
y había mandado que fuera quemado vivo quien ado-
rara al sol y a la luna y a la tierra y a la lluvia que la moja.

Octubre
13

Los robots alados

Buena noticia. En el día de hoy del año 2011, los jefes militares del mundo han informado que los drones podrán seguir matando gente.

Estos aviones sin piloto, tripulados por nadie, dirigidos a control remoto, gozan de buena salud: el virus que los atacó no fue más que una molestia pasajera.

Hasta ahora, los drones han echado sus lluvias de bombas sobre víctimas indefensas en Afganistán, Irak, Pakistán, Libia, Yemen y Palestina, y otros países esperan sus servicios.

En la era de las ciberguerras, los drones son los guerreros perfectos. Matan sin remordimientos, obedecen sin chistar, y jamás delatan a sus jefes.

Octubre
14

Una derrota de la Civilización

En el año 2002, cerraron sus puertas los ocho restoranes de McDonald's en Bolivia.

Apenas cinco años había durado esta misión civilizadora.

Nadie la prohibió. Simplemente ocurrió que los bolivianos le dieron la espalda, o mejor dicho: se negaron a darle la boca. Estos ingratos se negaron a reconocer el gesto de la empresa más exitosa del planeta, que desinteresadamente honraba al país con su presencia.

El amor al atraso impidió que Bolivia se pusiera al día con la comida chatarra y los vertiginosos ritmos de la vida moderna.

Las empanadas caseras derrotaron al progreso. Los bolivianos siguen comiendo sin apuro, en lentas ceremonias, tozudamente apegados a los antiguos sabores nacidos en el fogón familiar.

Se ha ido, para nunca más volver, la empresa que en el mundo entero se dedica a dar felicidad a los niños, a echar a los trabajadores que se sindicalizan y a multiplicar a los gordos.

Sin maíz no hay país

En el año 2009, el gobierno de México autorizó las siembras, *experimentales y limitadas*, de maíz transgénico. Un clamor de protesta se alzó desde los campos. Nadie ignoraba que los vientos se ocuparían de propagar la invasión, hasta que el maíz transgénico se convirtiera en fatalidad del destino.

Alimentadas por el maíz, habían crecido muchas de las primeras aldeas en América: el maíz era gente, la gente era maíz, y el maíz tenía, como la gente, todos los colores y sabores.

¿Podrán los hijos del maíz, los que hacen el maíz que los hizo, resistir la embestida de la industria química, que en el mundo impone su venenosa dictadura? ¿O terminaremos aceptando, en toda América, esta mercancía que dice llamarse maíz pero tiene un solo color y no tiene sabor ni memoria?

Él creyó que la justicia era justa

El jurista inglés John Cooke defendió a los que nadie quería y atacó a los que nadie podía.

Y gracias a él, por primera vez en la historia, la ley humana humilló a la divina monarquía: en 1649, el fiscal Cooke acusó al rey Carlos I, y su certero alegato convenció al jurado. El rey fue condenado, por delitos de tiranía, y el verdugo le cortó la cabeza.

Algunos años después, el fiscal pagó la cuenta. Lo acusaron de regicidio, lo encerraron en la Torre de Londres. Él se defendió diciendo:

—*Yo apliqué la ley*.

Ese error le costó la vida. Cualquier jurista debe saber que la ley vive arriba y hacia abajo escupe.

En el día de hoy de 1660, Cooke fue ahorcado y descuartizado en la misma sala donde había desafiado al poder.

Guerras calladas

Hoy es el Día contra la pobreza.

La pobreza no estalla como las bombas, ni suena como los tiros.

De los pobres, sabemos todo: en qué no trabajan, qué no comen, cuánto no pesan, cuánto no miden, qué no tienen, qué no piensan, qué no votan, en qué no creen.

Sólo nos falta saber por qué los pobres son pobres.

¿Será porque su desnudez nos viste y su hambre nos da de comer?

Octubre
18

Las mujeres son personas

En el día de hoy del año 1929, la ley reconoció, por primera vez, que las mujeres de Canadá son personas.

Hasta entonces, ellas creían que eran, pero la ley no.

La definición legal de persona no incluye a las mujeres, había sentenciado la Suprema Corte de Justicia.

Emily Murphy, Nellie McClung, Irene Parlby, Henrietta Edwards y Louise McKinney conspiraban mientras tomaban el té.

Ellas derrotaron a la Suprema Corte.

Octubre
19

Invisibles

Hace dos mil quinientos años, al alba de un día como hoy, Sócrates paseaba con Glaucón, hermano de Platón, en los alrededores del Pireo.

Glaucón contó la historia de un pastor del reino de Lidia, que una vez encontró un anillo, se lo colocó en un dedo y al rato se dio cuenta de que nadie lo veía. Aquel anillo mágico lo volvía invisible a los ojos de los demás.

Sócrates y Glaucón filosofaron largamente sobre las derivaciones éticas de esta historia. Pero ninguno de los dos se preguntó por qué las mujeres y los esclavos eran invisibles en Grecia, aunque no usaban anillos mágicos.

El profeta Yale

En 1843, Linus Yale patentó la cerradura más invulnerable de todas, inspirada en un invento egipcio de hacía cuatro mil años.

A partir de entonces, Yale aseguró las puertas y los portones de todos los países, y fue el mejor guardián del derecho de propiedad.

En nuestros días, las ciudades, enfermas de pánico, son cerraduras gigantescas.

Las llaves están en pocas manos.

Octubre
21

Estallaos los unos a los otros

Allá por el año 630 y pico, un célebre médico y alquimista chino llamado Sun Simiao mezcló nitrato de potasio, salitre, azufre, carbón de leña, miel y arsénico. Estaba buscando el elixir de la vida eterna. Encontró un instrumento de muerte.

En 1867, el químico sueco Alfred Nobel patentó la dinamita en su país.

En 1876, patentó la gelignita.

En 1895, creó el Premio Nobel de la Paz. Como su nombre lo indica, el premio nació destinado a recompensar a los militantes pacifistas. Lo financió una fortuna cosechada en los campos de batalla.

Octubre
22

Día de la medicina natural

Los indios navajos curan cantando y pintando.
Estas artes medicinales, sagrado aliento contra el desaliento, acompañan el trabajo de las hierbas, el agua y los dioses.

Durante nueve noches, noche tras noche, el enfermo escucha el canto que espanta las malas sombras que se han metido en su cuerpo, mientras los dedos del pintor pintan en la arena flechas, soles, lunas, aves, arcoíris, rayos, serpientes y todo lo que a sanar ayuda.

Concluidas las ceremonias de la curación, el paciente regresa a su casa, los cantos se desvanecen y la arena pintada vuela.

Cantar

En las noches cálidas del sur del mundo, tiempo de la primavera, los grillos llaman a las grillas.

Las llaman frotando sus cuatro alas.

Esas alas no saben volar. Pero saben cantar.

Octubre
24

Ver

Los científicos no lo tomaban en serio. Antonie van Leeuwenhoek no hablaba latín, ni tenía estudios, y sus descubrimientos eran frutos de la casualidad.

Antonie empezó ensayando combinaciones de lupas, para ver mejor la trama de los tejidos que vendía, y de lupa en lupa inventó un microscopio de quinientos lentes capaz de ver, en una gota de agua, una multitud de bichitos que corrían a toda velocidad.

Este mercader de telas descubrió, entre otras trivialidades, los glóbulos rojos, las bacterias, los espermatozoides, las levaduras, el ciclo vital de las hormigas, la vida sexual de las pulgas y la anatomía de los aguijones de las abejas.

En la misma ciudad, en Delft, habían nacido, en el mismo mes del año 1632, Antonie y Vermeer, el artista pintor. Y en la misma ciudad se dedicaron a ver lo invisible. Vermeer perseguía la luz que en las sombras se escondía, y Antonie espiaba los secretos de nuestros más diminutos parientes en el reino de este mundo.

Hombre porfiado

Poco valía, en Colombia, la vida de un hombre. La de un campesino, casi nada. Nada valía la vida de un indio; y la vida de un indio rebelde, menos que nada. Sin embargo, inexplicablemente, Quintín Lame murió de viejo, en 1967.

Había nacido en este día de 1880, y había vivido sus muchos años preso o peleando.

En el Tolima, uno de los escenarios de sus malandanzas, fue encarcelado ciento ocho veces.

En las fotos policiales aparecía siempre con los ojos en compota, por los saludos de entrada, y la cabeza rapada, para quitarle fuerza.

Los dueños de la tierra temblaban al escuchar su nombre, y está visto que también la muerte le tenía terror. Hombre de hablar suavecito y gestos delicados, Quintín caminaba Colombia alzando a los pueblos indios:

—*Nosotros no hemos venido, como puercos sin horqueta, a meternos en sembrado ajeno. Esta tierra es nuestra tierra* —decía Quintín, y sus arengas eran clases de historia. Él contaba el pasado de aquel presente, el porqué y el cuándo de tanta desdicha: desde el antes, se podía ir inventando otro después.

Octubre
26

Guerra a favor de las drogas

Tras veinte años de cañonazos y miles y miles de chinos muertos, cantó victoria la reina Victoria: China, que prohibía las drogas, abrió sus puertas al opio que los mercaderes ingleses vendían.

Mientras ardían los palacios imperiales, el príncipe Gong firmó la rendición, en 1860.

Fue un triunfo de la libertad: la libertad de comercio.

Octubre
27

Guerra contra las drogas

En 1986, el presidente Ronald Reagan recogió la lanza que Richard Nixon había alzado unos años antes, y la guerra contra las drogas recibió un multimillonario impulso.

Desde entonces, aumentaron sus ganancias los narcotraficantes y los grandes bancos que les lavan el dinero;

las drogas, más concentradas, matan el doble de la gente que antes mataban;

cada semana se inaugura una nueva cárcel en los Estados Unidos, porque se multiplican los drogadictos en la nación que más drogadictos contiene;

Afganistán, país invadido y ocupado por los Estados Unidos, ha pasado a abastecer casi toda la heroína que el mundo compra;

y la guerra contra las drogas, que ha hecho de Colombia una gran base militar norteamericana, está convirtiendo a México en un enloquecido matadero.

Octubre
28

Las locuras de Simón

Hoy nació en Caracas, en 1769, Simón Rodríguez. La Iglesia lo bautizó como *párvulo expósito,* hijo de nadie, pero fue el más cuerdo hijo de la América hispánica.

En castigo de su cordura, lo llamaban *El Loco.* Él decía que nuestros países no son libres, aunque tengan himno y bandera, porque libres son quienes crean, no quienes copian, y libres son quienes piensan, no quienes obedecen. Enseñar, decía *El Loco,* es enseñar a dudar.

Octubre
29

Hombre de buen corazón

En 1981, en un gesto de generosidad que honra su memoria, el general Augusto Pinochet vendió a precio de regalo los ríos, los lagos y las aguas subterráneas de Chile.

Algunas empresas mineras, como la suiza Xstrata, y empresas eléctricas como la española Endesa y la estadounidense AESGener, se hicieron dueñas, a perpetuidad, de los ríos más caudalosos de Chile. Endesa recibió una extensión de aguas equivalente al mapa de Bélgica.

Los campesinos y las comunidades indígenas han perdido el derecho al agua, condenados a comprarla, y desde entonces el desierto avanza, comiendo tierras fértiles, y se va vaciando de gente el paisaje rural.

Octubre
30

¡Se vienen los marcianos!

En 1938, aterrizaron las naves espaciales en las costas de los Estados Unidos, y los marcianos se lanzaron al ataque. Tenían tentáculos feroces, enormes ojos negros que arrojaban rayos ardientes, y una babeante boca en forma de V.

Muchos despavoridos ciudadanos salieron a las calles, envueltos en toallas mojadas para protegerse del gas venenoso que los marcianos emitían, y muchos más prefirieron encerrarse a trancas y retrancas, bien armados, en espera del combate final.

Orson Welles había inventado esta invasión extraterrestre, y la había trasmitido por radio.

La invasión era mentira, pero el miedo era verdad.

Y el miedo continuó: los marcianos fueron rusos, coreanos, vietnamitas, cubanos, nicaragüenses, afganos, iraquíes, iraníes...

Octubre
31

Los abuelos de las caricaturas políticas

En el año 1517, el monje alemán Martín Lutero clavó sus palabras de desafío en la puerta de la iglesia del castillo de Wittenberg.

Gracias a un invento llamado imprenta, esas palabras no se quedaron allí. Las *tesis* de Lutero llegaron a las calles y a las plazas y entraron en las casas, las tabernas y los templos de Alemania y más allá.

La fe protestante estaba naciendo. Lutero atacaba la ostentación y el despilfarro de la Iglesia de Roma, la venta de entradas al Paraíso, la hipócrita soltería de los sacerdotes...

No sólo por palabras se difundían estas herejías. También por imágenes, que llegaban a más gente, porque pocos sabían leer pero todos eran capaces de ver.

Los grabados que ayudaron a difundir las protestas de Lutero, obras de Lucas Cranach, Hans Holbein y otros artistas, no eran muy amables, que digamos: el Papa aparecía como un monstruoso becerro de oro, o un burro con tetas de mujer y rabo de Diablo, o era un gordo muy enjoyado que caía de cabeza a las llamas del infierno.

Estos filosos instrumentos de propaganda religiosa, que tanto ayudaron a la difusión masiva de la rebelión luterana, fundaron, sin saberlo, las caricaturas políticas de nuestro tiempo.

Noviembre

Cuidado con los bichos

En 1986, la peste de las vacas locas golpeó a los británicos, y más de dos millones de vacas, sospechosas de contagiosa demencia, fueron castigadas con la pena capital.

En 1997, la gripe del pollo, difundida desde Hong Kong, sembró el pánico y condenó a un millón y medio de aves a la muerte precoz.

En el año 2009, estalló en México y en los Estados Unidos la gripe porcina, y el planeta entero tuvo que enmascararse contra la peste.

Millones de cerdos, no se sabe cuántos, fueron sacrificados por toser o estornudar.

¿Quién tiene la culpa de las pestes humanas? Los animales.

Así de simple.

En cambio, están libres de toda sospecha los gigantes del agronegocio mundial, esos aprendices de brujos que convierten los alimentos en bombas químicas de alta peligrosidad.

Noviembre
2

Día de los difuntos

En México, los vivos invitan a los muertos, en la noche de hoy de cada año, y los muertos comen y beben y bailan y se ponen al día con los chismes y las novedades del vecindario.

Pero al fin de la noche, cuando las campanas y la primera luz del alba les dicen adiós, algunos muertos se hacen los vivos y se esconden en las enramadas y entre las tumbas del camposanto. Entonces la gente los corre a escobazos: *ya vete de una vez, ya déjanos en paz, no queremos verte hasta el año que viene.*

Es que los difuntos son muy quedados.

En Haití, una antigua tradición prohíbe llevar el ataúd en línea recta al cementerio. El cortejo lo conduce en zig-zag y dando muchas vueltas, por aquí, por allá y otra vez por aquí, para despistar al difunto y que ya no pueda encontrar el camino de regreso a casa.

En Haití, como en todas partes, los muertos son muchísimos más que los vivos.

La minoría viviente se defiende como puede.

Noviembre
3

La guillotina

No sólo los hombres perdieron la cabeza por ella. También hubo mujeres, que la guillotina mató y olvidó, porque no eran importantes como la reina María Antonieta.

Tres casos ejemplares:

Olympia de Gouges fue decapitada por la revolución francesa, en 1793, para que no siguiera creyendo que también las mujeres son ciudadanas;

en 1943, Marie-Louise Giraud marchó al patíbulo, en París, por haber practicado abortos, *actos criminales contra la familia francesa*;

mientras al mismo tiempo, en Múnich, la guillotina cortaba la cabeza de una estudiante, Sophie Scholl, por distribuir panfletos contra la guerra y contra Hitler:

—*Qué pena* —dijo Sophie—. *Un día tan lindo, con este sol, y yo me tengo que ir.*

El suicidio de Tenochtitlán

¿Quién podrá sitiar a Tenochtitlán?, preguntaban los cantares. *¿Quién podrá conmover los cimientos del cielo?*

En el año 1519, los mensajeros contaron a Moctezuma, rey de los aztecas, que unos seres extraños, que escupían truenos y tenían pechos de metal, caras peludas y cuerpos de seis patas, venían camino de Tenochtitlán. Cuatro días después, el monarca les dio la bienvenida.

Ellos habían llegado desde la misma mar por donde se había alejado, en tiempos lejanos, el dios Quetzalcóatl, y Moctezuma creyó que Hernán Cortés era el dios que regresaba. Y le dijo:

—*A tu tierra has llegado.*

Y le entregó la corona, y le otorgó ofrendas de oro, ánades de oro, tigres de oro, máscaras de oro, oro y más oro.

Entonces, sin desenvainar la espada, Cortés lo hizo prisionero en su propio palacio.

Moctezuma murió apedreado por su gente.

Una enfermedad llamada trabajo

En 1714 murió, en Padua, Bernardino Ramazzini. Era un médico raro, que empezaba preguntando:

—*¿En qué trabaja usted?*

A nadie se le había ocurrido que eso podía tener alguna importancia.

Su experiencia le permitió escribir el primer tratado de medicina del trabajo, donde describió, una por una, las enfermedades frecuentes en más de cincuenta oficios. Y comprobó que había pocas esperanzas de curación para los obreros que comían hambre, sin sol y sin descanso, en talleres cerrados, irrespirables y mugrientos.

Noviembre
6

El rey que no fue

El rey Carlos II nació en Madrid, en 1661. En sus cuarenta años de vida, nunca consiguió pararse sobre sus pies, ni hablar sin babearse, ni sostener la corona en su cabeza jamás visitada por ninguna idea.

Carlos era nieto de su tía, su madre era sobrina de su padre y su bisabuelo era tío de su bisabuela: los Habsburgo eran de quedarse en casa.

Tanta devoción familiar acabó con ellos.

Cuando Carlos murió, con él murió su dinastía en España.

Noviembre
7

Sueños

En 1619, René Descartes, muy joven todavía, soñó mucho en una sola noche.

Según él contó, en el primer sueño caminaba torcido y no se podía enderezar, peleando a duras penas contra el viento que violentamente lo empujaba hacia el colegio y la iglesia.

En el segundo sueño, un rayo lo arrancaba de la cama y la habitación se llenaba de chispas que iluminaban todo.

Y en el tercero, él abría una enciclopedia, buscando un camino para seguir en la vida, pero a la enciclopedia le faltaban esas páginas.

Inmigrantes legales

En avión privado volaron hasta Monterrey.

Allí iniciaron, en el año 2008, su gira triunfal. Fueron declarados huéspedes distinguidos, y en nueve carrozas pasearon por las avenidas.

Parecían políticos triunfantes, pero no. Eran momias. Las momias de las víctimas de la peste del cólera, que hacía más de un siglo y medio había devastado la ciudad de Guanajuato.

Once mujeres, siete hombres, cinco niños y una cabeza sin cuerpo, todos vestidos de fiesta, cruzaron la frontera. Aunque eran momias mexicanas, nadie les pidió pasaporte, ni fueron acosadas por la guardia fronteriza.

Y tranquilamente siguieron viaje hacia Los Ángeles, Las Vegas y Chicago, donde desfilaron, ovacionadas, bajo arcos de flores.

Prohibido pasar

Un día como hoy, en 1989, murió el muro de Berlín.

Pero otros muros nacieron para que los invadidos no invadan a los invasores,

para que los africanos no recuperen los salarios que sus esclavos nunca cobraron,

para que los palestinos no regresen a la patria que les robaron,

para que los saharauis no entren en su tierra usurpada,

para que los mexicanos no pisen el inmenso mapa que les comieron.

En el año 2005, el hombre-bala más famoso en los circos del mundo, David Smith, expresó su protesta, a su manera, contra la humillante muralla que separa México de los Estados Unidos. Un enorme cañón lo disparó, y desde las alturas del aire David pudo caer, sano y salvo, del lado prohibido de la frontera.

Él había nacido en los Estados Unidos, pero fue mexicano mientras duró su vuelo.

Día de la ciencia

El médico brasileño Drauzio Varella ha comprobado que el mundo invierte cinco veces menos dinero en la cura del mal de Alzheimer que en estímulos para la sexualidad masculina y en siliconas para la belleza femenina.

—*De aquí a unos años* —profetizó—, *tendremos viejas de tetas grandes y viejos de penes duros, pero ninguno de ellos recordará para qué sirven.*

Fiódor Dostoievski nació dos veces

Por primera vez nació en Moscú, en el día de hoy de 1821.

A fines del año 1849, nació de nuevo, en San Petersburgo.

Dostoievski llevaba ocho meses preso, esperando su fusilamiento. Al principio, no quería que ocurriera nunca. Después, aceptaba que ocurriera cuando tuviera que ocurrir. Y por fin quería que ocurriera cuanto antes, que ocurriera ya, porque peor que la muerte era la espera.

Y así fue hasta la madrugada en que él y los demás condenados arrastraron sus cadenas hasta la plaza Semenovsk, a orillas del río Neva.

Y la voz de mando mandó, y al primer grito los fusiladores vendaron los ojos de sus víctimas.

Al segundo grito, se escuchó el clic-clac de la carga de las armas.

Al tercer grito, *Apunten*, sonaron súplicas, gemidos, algún llanto; y después, silencio.

Y silencio.

Y más silencio, hasta que en ese silencio de nunca acabar se escuchó que el zar de todas las Rusias, en magnánimo gesto, había enviado su perdón.

No me gusta que me mientan

Sor Juana Inés de la Cruz, nacida en el día de hoy de 1651, fue la más.

Nadie voló tan alto en su tierra y en su tiempo.

Ella entró muy joven al convento. Creyó que el convento era menos cárcel que la casa. Estaba mal informada. Cuando se enteró, ya era tarde; y años después murió, condenada al silencio, la mujer que mejor decía.

Sus carceleros solían prodigarle alabanzas, que ella nunca creyó.

En cierta ocasión, un artista de la corte del virrey de México le pintó un retrato que era algo así como una profecía del *photoshop*. Ella contestó:

> *Éste, en quien la lisonja ha pretendido*
> *excusar de los años los horrores,*
> *y venciendo del tiempo los rigores*
> *triunfar de la vejez y del olvido,*
> *es una necia diligencia errada,*
> *es un afán caduco y, bien mirado,*
> *es cadáver, es polvo, es sombra, es nada.*

El papá de Moby Dick

En 1851 se publicó, en Nueva York, la primera edición de *Moby Dick*. Herman Melville, peregrino de la mar y de la tierra, había publicado algunos libros exitosos, pero *Moby Dick*, su obra maestra, nunca agotó esa primera edición, y sus obras siguientes no tuvieron mejor suerte.

Melville murió olvidado, cuando bien había aprendido que el éxito y el fracaso son accidentes de dudosa importancia.

La mamá de las periodistas

En la mañana de hoy de 1889, Nellie Bly emprendió su viaje.

Julio Verne no creía que esta mujercita linda pudiera dar la vuelta al mundo, ella sola, en menos de ochenta días.

Pero Nellie abrazó el planeta en setenta y dos días, mientras iba publicando, crónica tras crónica, lo que veía y vivía.

Éste no era el primer desafío de la joven periodista, ni fue el último.

Para escribir sobre México, se mexicanizó tanto que el gobierno de México, asustado, la expulsó.

Para escribir sobre las fábricas, trabajó de obrera.

Para escribir sobre las cárceles, se hizo arrestar por robo.

Para escribir sobre los manicomios, simuló locura, y tan bien actuó que los médicos la declararon loca de remate; y así pudo denunciar los tratamientos psiquiátricos que padeció, capaces de volver loca a cualquiera.

Cuando Nellie tenía veinte años, en Pittsburgh, el periodismo era cosa de hombres.

En aquel entonces, ella cometió la insolencia de publicar sus primeras crónicas.

Treinta años después publicó las últimas, esquivando balas en la línea de fuego de la primera guerra mundial.

Noviembre
15

Hugo Blanco nació dos veces

En el Cuzco, en 1934, Hugo Blanco nació por primera vez.

Llegó a un país, Perú, partido en dos.

Él nació en el medio.

Era blanco, pero se crió en un pueblo, Huanoquite, donde hablaban quechua sus compañeros de juegos y andanzas, y fue a la escuela en el Cuzco, donde los indios no podían caminar por las veredas, reservadas a la gente decente.

Hugo nació por segunda vez cuando tenía diez años de edad. En la escuela recibió noticias de su pueblo, y se enteró de que don Bartolomé Paz había marcado a un peón indio con hierro candente. Este dueño de tierras y gentes había marcado a fuego sus iniciales, BP, en el culo del peón, llamado Francisco Zamata, porque no había cuidado bien las vacas de su propiedad.

No era tan anormal el hecho, pero esa marca marcó a Hugo para siempre.

Y con el paso de los años, se fue haciendo indio este hombre que no era, y organizó los sindicatos campesinos y pagó con palos y torturas y cárcel y acoso y exilio su desgracia elegida.

En una de sus catorce huelgas de hambre, cuando ya no aguantaba más, el gobierno, conmovido, le envió de regalo un ataúd.

361

Un averiguador de la vida

Como era muy miope, no tuvo más remedio que inventar lentes que fundaron la óptica moderna y un telescopio que descubrió una estrella nueva.

Y como era muy mirón, mirando un copo de nieve en la palma de su mano vio que el alma del hielo era una estrella de seis picos, seis, como seis son los lados de las celdillas de las abejas en los panales, y con los ojos de su razón vio que la forma hexagonal sabe usar el espacio de la mejor manera.

Y en el balcón de su casa vio que no era circular el viaje de sus plantitas en busca de la luz, y dedujo que quizá tampoco era circular el viaje de los planetas alrededor del sol, y su telescopio se puso a medir las elipses que describen.

Viendo, vivió.

Cuando dejó de ver murió, en este día de 1630.

La lápida de Johannes Kepler dice:

Medí los cielos. Ahora, las sombras mido.

Noviembre
17

El otro oído

Hoy murió, en 1959, el músico brasileño Heitor Villalobos.

Él tenía dos oídos, uno de adentro y otro de afuera.

En sus años mozos, cuando se ganaba la vida tocando el piano en algún putero de Río de Janeiro, Villalobos se las arreglaba para ir componiendo sus obras, como si tal cosa: cerraba el oído de afuera a la barahúnda de carcajadas y bebederas, y el oído de adentro se abría para escuchar, nota tras nota, su música naciente.

Después, en los años maduros, el oído de adentro fue su refugio contra los insultos del público y los venenos de los críticos.

El Zorro nació cuatro veces

En 1615 nació por primera vez. Se llamó William Lamport, fue pelirrojo, fue irlandés.

Y nació nuevamente cuando cambió de nombre y de patria, y fue Guillén Lombardo, español, capitán de la Armada española.

Y por tercera vez nació convertido en héroe de la independencia de México, y en el año 1659 fue condenado a la hoguera, y se ahorcó antes de morir en la deshonra del fuego.

Resucitó en el siglo veinte. Se llamó Diego de la Vega, que se enmascaraba y era el Zorro, espadachín justiciero de los desamparados, que marcaba con una Z la huella de su paso.

Douglas Fairbanks, Tyrone Power, Alain Delon y Antonio Banderas empuñaron su espada en Hollywood.

El musgo y la piedra

Al amanecer de este día de 1915, Joe Hill fue fusilado en Salt Lake City.

Este extranjero agitador, que había cambiado dos veces de nombre y mil veces de oficio y de domicilio, había cometido las canciones que acompañaban las huelgas obreras en los Estados Unidos.

En la última noche, pidió a sus compañeros que no perdieran tiempo llorándolo:

> *Mi última voluntad es fácil de decir,*
> *porque no dejo herencia para dividir:*
> *Mi libertad es todo lo que queda.*
> *No cría musgo la piedra que rueda.*

Noviembre
20

Niños que dicen

Hoy es el Día de la infancia.

Salgo a caminar y me cruzo con una nena de dos años, o poco más, esa edad en la que todos somos paganos.

La nena viene brincando, saludando al verderío:

—*¡Hola, pastito!*

—*¡Buen día, pastito!*

Después, se detiene a escuchar a los pájaros que cantan en la copa de un árbol. Y los aplaude.

Y al mediodía de este día, un niño de unos ocho años, nueve quizá, me trae a casa un regalo.

Es una carpeta llena de dibujos.

El regalo viene de los alumnos de una escuela montevideana, del barrio del Cerrito de la Victoria. Y el joven artista me lo ofrece explicando:

—*Estos dibujos somos nosotros.*

El partido más triste de la historia

En 1973, Chile era un país prisionero de la dictadura militar, y el Estadio Nacional se había convertido en campo de concentración y en cámara de torturas.

La selección chilena iba a disputar, contra la Unión Soviética, un partido decisivo para clasificar a la Copa del Mundo.

La dictadura de Pinochet decidió que el partido debía disputarse en el Estadio Nacional, sí o sí.

Los presos que el estadio encerraba fueron trasladados de apuro y las máximas autoridades del fútbol mundial inspeccionaron la cancha, césped impecable, y dieron su bendición.

La selección soviética se negó a jugar.

Asistieron dieciocho mil entusiastas, que pagaron entrada y ovacionaron el gol que Francisco Valdés metió en el arco vacío.

La selección chilena jugó contra nadie.

Día de la música

Según cuentan los memoriosos, en otros tiempos el sol fue el dueño de la música, hasta que el viento se la robó.

Desde entonces, para consolar al sol, los pájaros le ofrecen conciertos al principio y al fin de cada día.

Pero los alados cantores no pueden competir con los rugidos y los chillidos de los motores que gobiernan las grandes ciudades. Ya poco o nada se escucha el canto de los pájaros. En vano se rompen el pecho queriendo hacerse oír, y el esfuerzo por sonar cada vez más alto arruina sus trinos.

Y ya las hembras no reconocen a sus machos. Ellos las llaman, virtuosos tenores, irresistibles barítonos, pero en el barullo urbano no se distingue quién es quién, y ellas terminan aceptando el abrigo de alas extrañas.

Noviembre
23

Abuelo

Hoy salió de la imprenta, en 1859, el primer ejemplar de *El origen de las especies,* de Charles Darwin.

En el manuscrito original, el libro había tenido otro nombre. Se llamaba *Zoonomia,* en homenaje a una obra del abuelo de Charles, Erasmus Darwin.

Don Erasmus había engendrado catorce hijos y varios libros. Y setenta años antes que su nieto, había advertido que todo lo que en la naturaleza brota, navega, camina o vuela tiene un origen común, y ese origen común no es la mano de Dios.

Abuela

En 1974, sus huesos aparecieron en las colinas pedregosas de Etiopía.

Sus descubridores la llamaron Lucy.

Gracias a la tecnología más avanzada, pudieron calcularle la edad, unos tres millones ciento setenta y cinco mil años, día más, día menos, y también la estatura: era más bien bajita, medía un metro y poco.

Lo demás fue deducido, o quizás adivinado: tenía el cuerpo bastante peludo, ya no caminaba en cuatro patas pero se balanceaba en andares de chimpancé, con las manos casi rozando el suelo, y más que el suelo le gustaban las copas de los árboles.

Quizás había muerto ahogada en un río.

Quizás huía de un león o de algún otro desconocido que se mostró interesado por ella.

Había nacido mucho antes que el fuego y la palabra, pero quizás hablaba ya un lenguaje de gestos y ruidos que quizá decían, o querían decir, pongamos por caso,

tengo frío,
tengo hambre,
no me dejen sola.

Día contra la violencia doméstica

En la selva del Alto Paraná, las mariposas más lindas se salvan exhibiéndose. Despliegan sus alas negras, alegradas a pinceladas rojas o amarillas, y de flor en flor aletean sin la menor preocupación. Al cabo de miles y miles de años de experiencia, sus enemigos han aprendido que esas mariposas contienen veneno. Las arañas, las avispas, las lagartijas, las moscas y los murciélagos miran de lejos, a prudente distancia.

El 25 de noviembre de 1960, tres militantes contra la dictadura del generalísimo Trujillo fueron apaleadas y arrojadas a un abismo en la República Dominicana. Eran las hermanas Mirabal. Eran las más lindas, las llamaban *mariposas*.

En su memoria, en memoria de su belleza incoible, hoy es el Día mundial contra la violencia doméstica. O sea: contra la violencia de los trujillitos que ejercen la dictadura dentro de cada casa.

Laura y Paul

Cuando Karl Marx leyó *El derecho a la pereza,* sentenció:

—*Si esto es marxismo, yo no soy marxista.*

El autor, Paul Lafargue, parecía más anarquista que comunista, y revelaba una sospechosa tendencia a la locura tropical.

Tampoco para yerno le gustaba este cubano de color no muy clarito:

—*La intimidad excesiva está fuera de lugar* —le advirtió, por escrito, desde que Paul inició peligrosos avances sobre su hija Laura, y solemnemente agregó:

—*Es mi deber interponer mi razón ante su temperamento criollo.*

La razón fracasó.

Laura Marx y Paul Lafargue compartieron la vida durante más de cuarenta años.

Y en la noche de hoy del año 1911, cuando la vida ya no era vida, en su cama de siempre viajaron, abrazados, el último viaje.

Cuando ardieron las aguas de Río de Janeiro

En 1910, culminó la rebelión de la marinería brasileña.

Los sublevados habían amenazado, mediante cañonazos de advertencia, a la ciudad de Río de Janeiro:

—*Basta de azotes, o haremos polvo la ciudad.*

A bordo de los buques de guerra, los latigazos eran costumbre, y con frecuencia morían los castigados.

Y al cabo de cinco días triunfó el motín, y los látigos fueron arrojados al fondo de las aguas, y los parias de la mar desfilaron, aclamados, por las calles de Río.

Un tiempo después, el jefe de la insurrección, João Candido, hijo de esclavos, almirante por decisión de los sublevados, volvió a ser marinero raso.

Y un tiempo después, fue expulsado.

Y un tiempo después, fue preso.

Y un tiempo después, fue encerrado en el manicomio.

Él tiene su monumento, dice una canción, en las piedras pisadas de los muelles.

El hombre que enseñaba aprendiendo

En el año 2009, el gobierno de Brasil pidió disculpas a Paulo Freire. Él no pudo agradecer el gesto, porque llevaba doce años de muerto.

Paulo había sido el profeta de una educación solidaria.

En sus comienzos, daba clases bajo un árbol. Había alfabetizado a miles y miles de obreros del azúcar, en Pernambuco, para que fueran capaces de leer el mundo y ayudaran a cambiarlo.

La dictadura militar lo metió preso, lo echó del país y le prohibió el regreso.

En el exilio, Paulo anduvo mucho mundo. Cuanto más enseñaba, más aprendía.

Hoy, trescientas cuarenta escuelas brasileñas llevan su nombre.

Noviembre
29

Campeonato mundial del terror

En el desprecio por la vida humana, Hitler era imbatible; pero tuvo competidores.

En el año 2010, el gobierno ruso reconoció oficialmente que había sido Stalin el autor de la matanza de catorce mil quinientos prisioneros polacos en Katyn, Kharkov y Miednoje. Los polacos habían sido fusilados por la nuca en la primavera de 1940, y el crimen había sido siempre atribuido a la Alemania nazi.

En 1945, cuando ya era más que evidente la victoria de los aliados, la ciudad alemana de Dresden y las ciudades japonesas de Hiroshima y Nagasaki fueron arrasadas hasta la última piedra. Las fuentes oficiales de las naciones victoriosas dijeron que esos eran objetivos militares, pero los miles y miles de muertos fueron todos civiles, y entre las ruinas no apareció ni una honda para cazar pajaritos.

Noviembre
30

Cita en el Paraíso

En el año 2010, se inició otra conferencia mundial, la mil y una, en defensa del medio ambiente.

Como de costumbre, los exterminadores de la naturaleza le recitaron poemas de amor.

Ocurrió en Cancún.

Mejor lugar, imposible.

A primera vista, Cancún es una tarjeta postal, pero esta vieja aldea de pescadores se ha convertido, en el último medio siglo, en un modernoso y gigantesco hotel de treinta mil habitaciones, que en el camino de su prosperidad ha aplastado los médanos, los lagos, las playas vírgenes, los bosques vírgenes, los manglares y todos los obstáculos que la naturaleza oponía a su exitoso desarrollo. Hasta la arena de las playas ha sido sacrificada, y ahora Cancún compra arena ajena.

Diciembre

Diciembre
1

Adiós a las armas

El presidente de Costa Rica, don Pepe Figueres, había dicho:

—*Aquí lo único que anda mal es todo.*

Y en el año 1948, suprimió las fuerzas armadas.

Muchos anunciaron el fin del mundo, o por lo menos el fin de Costa Rica.

Pero el mundo siguió girando, y Costa Rica se salvó de las guerras y los golpes de Estado.

Día contra la esclavitud

A mediados del siglo diecinueve, John Brown, blanco, traidor a su raza, traidor a su clase, asaltó un arsenal militar de Virginia, para entregar armas a los esclavos negros de las plantaciones.

El coronel Robert Lee, jefe de la tropa que cercó y capturó a Brown, fue ascendido a general; y poco después comandó el ejército que defendió la esclavitud durante la larga guerra del sur contra el norte de los Estados Unidos.

Lee, general de los esclavistas, murió en la cama. Fue despedido con honores militares, música marcial, cañonazos y palabras que exaltaron las virtudes de *este grandioso genio militar de América*.

Brown, amigo de los esclavos, fue condenado por el asalto al arsenal: asesinato, conspiración y traición al Estado. Murió ahorcado en 1859, en el día de hoy.

En el día de hoy, que por casualidad es el Día contra la esclavitud.

Diciembre
3

El rey que dijo basta

Durante cuatro siglos, el África negra se especializó en la venta de carne humana. Según la división internacional del trabajo, su destino era producir esclavos para el mercado mundial.

En 1720, un rey se negó.

Agaja Trudo, rey de Dahomey, incendió los fortines europeos y arrasó los embarcaderos de esclavos.

Durante diez años, soportó el acoso de los traficantes y los ataques de los reinos vecinos.

Más, no pudo.

Europa se negaba a venderle armas si no pagaba en moneda humana.

Memoria verde

Como nosotros, los árboles recuerdan.

Pero ellos no olvidan: van formando anillos en el tronco, y de anillo en anillo van guardando su memoria.

Los anillos cuentan la historia de cada árbol y delatan su edad, que en algunos casos llega a los dos mil años; cuentan qué climas conoció, qué inundaciones y sequías sufrió, y conservan las cicatrices de los incendios, las plagas y los temblores de tierra que lo han atacado.

Un día como hoy, un estudioso del tema, José Armando Boninsegna, recibió de los niños de una escuela argentina la mejor explicación posible:

—*Los arbolitos van a la escuela y aprenden a escribir.
¿Dónde escriben? En su panza. ¿Y cómo escriben? Con anillos.
Y eso se puede leer.*

Diciembre
5

La voluntad de belleza

El presidente de la Sociedad Española de Historia Natural dictaminó, en 1886, que las pinturas de la caverna de Altamira no tenían miles de años de edad:

—*Son obra de algún mediano discípulo de la escuela moderna actual* —afirmó, confirmando las sospechas de casi todos los expertos.

Veinte años después, los tales expertos tuvieron que reconocer que estaban equivocados. Y así se demostró que la voluntad de belleza, como el hambre, como el deseo, había acompañado desde siempre la aventura humana en el mundo.

Mucho antes de eso que llamamos Civilización, habíamos convertido en flautas los huesos de las aves, habíamos perforado los caracoles para hacer collares y habíamos creado colores, mezclando tierra, sangre, polvo de piedras y jugos de plantas, para alindar nuestras cavernas y para que cada cuerpo fuera un cuadro caminante.

Cuando los conquistadores españoles llegaron a Veracruz, encontraron que los indios huastecos andaban completamente desnudos, ellas y ellos, con los cuerpos pintados para gustar y gustarse:

—*Éstos son los peores* —sentenció el conquistador Bernal Díaz del Castillo.

Diciembre
6

Una lección de teatro

En este día de 1938, el Comité de Actividades Antiamericanas, que funcionaba en Washington, interrogó a Hallie Flanagan.

Ella dirigía los teatros públicos.

Joe Starnes, diputado por Alabama, tuvo a su cargo el interrogatorio.

A propósito de un artículo escrito por Hallie, le preguntó:

—*Usted cita a un tal Marlowe. ¿Él es comunista?*

—*Disculpe, pero se trata de una cita de Christopher Marlowe.*

—*Díganos quién es, para tener una referencia precisa.*

—*Él fue el mayor dramaturgo inglés en el período anterior a Shakespeare.*

—*Sí, claro, hasta en el teatro griego encontramos gente de ésa que ahora algunos llaman comunistas.*

—*Muy cierto.*

—*Creo que hasta el señor Eurípides fue culpable de enseñar la conciencia de clase, ¿no?*

—*Me parece que todos los dramaturgos griegos fueron acusados.*

—*Así que no podemos decir cuándo empezó esto* —suspiró el diputado Starnes.

Diciembre
7

El arte no tiene edad

En el año 1633, día más, día menos, nació Gregório de Matos, el poeta que mejor sabía tomarle el pelo al Brasil colonial.

En 1969, en plena dictadura militar, el comandante de la sexta región denunció por *subversivos* sus poemas, que dormían el sueño de los justos desde hacía tres siglos en la biblioteca de la Secretaría de Cultura de la ciudad de San Salvador de Bahía, y los arrojó a la hoguera.

En 1984, en un país vecino, la dictadura militar del Paraguay prohibió una obra que iba a estrenar el teatro Arlequín, por tratarse de *un panfleto contra el orden, la disciplina, el soldado y la ley*. Hacía veinticuatro siglos que la obra, *Las troyanas*, había sido escrita por Eurípides.

Diciembre
8

El arte de las neuronas

En 1906, Santiago Ramón y Cajal recibió el Premio Nobel de Medicina.

Él había querido ser artista pintor.

Su padre no lo dejó, y no tuvo más remedio que convertirse en el científico español más importante de todos los tiempos.

Se vengó dibujando lo que descubría. Sus paisajes del cerebro competían con Miró, con Klee:

—*El jardín de la neurología brinda emociones artísticas incomparables* —solía decir.

Él disfrutaba explorando los misterios del sistema nervioso, pero más disfrutaba dibujándolos.

Y todavía más, más todavía, disfrutaba diciendo a viva voz lo que pensaba, a sabiendas de que eso iba a darle más enemigos que amigos.

A veces preguntaba, sorprendido:

—*¿No tienes enemigos? ¿Cómo que no? ¿Es que jamás dijiste la verdad, ni jamás amaste la justicia?*

El arte de vivir

En 1986, el Nobel de Medicina fue para Rita Levi Montalcini.

En tiempos difíciles, durante la dictadura de Mussolini, Rita había estudiado las fibras nerviosas, a escondidas, en un laboratorio improvisado en algún rincón de su casa.

Años después, tras mucho trabajar, esta tenaz detective de los misterios de la vida descubrió la proteína que se ocupa de multiplicar las células humanas, y recibió el Nobel.

Ya rondaba los ochenta años, y decía:

—*El cuerpo se me arruga, pero el cerebro no. Cuando sea incapaz de pensar, sólo quiero que me ayuden a morir con dignidad.*

Diciembre
10

Bendita guerra

En el año 2009, en el Día de la declaración universal de los derechos humanos, el presidente Barack Obama recibió el Premio Nobel de la Paz.

En su discurso de agradecimiento, al presidente no se le ocurrió nada mejor que rendir homenaje a la guerra: *la guerra justa y necesaria contra el Mal.*

Cuatro siglos y medio antes, cuando el Premio Nobel no existía y el Mal no residía en las tierras que contenían petróleo sino en las que prometían oro y plata, el jurista español Juan Ginés de Sepúlveda también había defendido *la guerra justa y necesaria contra el Mal.*

En aquella época, Ginés explicó que la guerra contra los indios de las Américas era necesaria, *siendo por naturaleza siervos los hombres bárbaros, incultos e inhumanos,* y la guerra era justa *porque es justo, por derecho natural, que el cuerpo obedezca al alma, el apetito a la razón, los brutos al hombre, la mujer al marido, lo imperfecto a lo perfecto y lo peor a lo mejor, para bien de todos.*

Diciembre
11

El poeta que era una multitud

Según se creía, Fernando Pessoa, el poeta de Portugal, llevaba otros cinco o seis poetas dentro. A fines del año 2010, el escritor brasileño José Paulo Cavalcanti culminó su investigación de muchos años sobre *alguien que soñó ser tantos.*

Cavalcanti descubrió que Pessoa no contenía a cinco, ni a seis: él llevaba ciento veintisiete huéspedes en su magro cuerpo, cada uno con su nombre, su estilo y su historia, su fecha de nacimiento y su horóscopo.

Sus ciento veintisiete habitantes habían firmado poemas, artículos, cartas, ensayos, libros…

Algunos de ellos habían publicado críticas ofídicas contra él, pero Pessoa nunca había expulsado a ninguno, aunque ha de haber sido difícil, supongo, alimentar una familia tan numerosa.

Tonantzin se llama Guadalupe

Mucho después de engendrar a Jesús, la Virgen María viajó a México.

Llegó en el año 1531. Se presentó llamándose Virgen de Guadalupe, y por afortunada casualidad la visita ocurrió en el exacto sitio donde tenía su templo Tonantzin, la diosa madre de los aztecas.

La Virgen de Guadalupe pasó a ser, desde entonces, la encarnación de la nación mexicana: Tonantzin vive en la Virgen, y México y Jesús tienen la misma madre.

En México, como en toda América, los dioses prohibidos se han metido en las divinidades católicas, por los caminos del aire, y en sus cuerpos residen.

Tlaloc llueve en san Juan Bautista, y en san Isidro Labrador florece Xochipilli.

Tata Dios es el Padre Sol.

Tezcatlipoca, Jesús crucificado, señala desde la cruz los cuatro rumbos donde soplan los vientos del universo indígena.

Diciembre
13

Día del canto coral

En 1589, el papa Sixto V decidió que los castrados cantaran en la Basílica de San Pedro.

Para que los cantores fueran cantoras, sopranos capaces de notas agudas y gorjeos sin pausa, les mutilaban los testículos.

Durante más de tres siglos, los castrados ocuparon el lugar de las mujeres en los coros de las iglesias: estaban prohibidas las pecadoras voces de las hijas de Eva, que ensuciaban la pureza de los templos.

Diciembre
14

El fraile que se fugó siete veces

En 1794, el arzobispo de México, Alonso Núñez de Haro, firmó la condenación de fray Servando Teresa de Mier.

En el aniversario de la visita de la Virgen María a tierras mexicanas, fray Servando había pronunciado un sermón, ante el virrey, el arzobispo y los miembros de la Real Audiencia.

Más que sermón, un cañonazo. Fray Servando se había atrevido a afirmar que no había casualidad ni coincidencia: la Virgen María *era* la diosa azteca Tonantzin, y el apóstol Tomás *era* Quetzalcóatl, la serpiente emplumada que adoraban los indios.

Por haber cometido escandalosa blasfemia, fray Servando fue despojado de su título de doctor en filosofía y se le prohibió, a perpetuidad, enseñar, recibir confesiones y pronunciar sermones. Y fue condenado al destierro en España.

A partir de entonces, siete veces estuvo preso y siete veces se fugó, peleó por la independencia mexicana, escribió las más feroces y divertidas calumnias contra los españoles y también escribió serios tratados sobre el proyecto de república, libre de ataduras coloniales y militares, que él proponía para cuando la nación mexicana fuera dueña y señora de sí.

Diciembre
15

Hombre verde

Hoy hubiera sido el cumpleaños de Chico Mendes. Hubiera sido.

Pero los asesinos de la Amazonia matan los árboles molestos, y también matan a la gente molesta. Gente como Chico Mendes.

Sus padres, esclavos por deudas, habían llegado a las plantaciones de caucho desde el lejano desierto de Ceará.

Él aprendió a leer a los veinticuatro años.

En la Amazonia organizó sindicatos y juntó a los solos, peones esclavizados, indios desalojados, contra los devoradores de tierras y sus bandoleros a sueldo, y contra los expertos del Banco Mundial, que financian el envenenamiento de los ríos y el bombardeo de la selva.

Y fue marcado para morir.

Los tiros entraron por la ventana.

Combata la pobreza: maquille los números

Durante unos cuantos años, los grandes medios de desinformación celebraron, con clarines y tambores, las victorias en la guerra contra la pobreza. Año tras año, la pobreza se batía en retirada. Así fue hasta el día de hoy del año 2007. Entonces, los expertos del Banco Mundial, con la colaboración del Fondo Monetario Internacional y de algunos organismos de las Naciones Unidas, actualizaron sus tablas del poder de compra de la población del mundo. En un informe del *International Comparison Program,* que tuvo poca o ninguna difusión, los expertos corrigieron algunos datos de las mediciones anteriores. Entre otros errorcitos, descubrieron que los pobres sumaban quinientos millones más que los que habían registrado las estadísticas internacionales.

Ellos, los pobres, ya lo sabían.

Diciembre
17

La llamita

En esta mañana del año 2010, Mohamed Bouazizi venía arrastrando, como todos los días, su carrito de frutas y verduras en algún lugar de Túnez. Como todos los días, llegaron los policías, a cobrar el peaje por ellos inventado.

Pero esta mañana, Mohamed no pagó.

Los policías lo golpearon, le volcaron el carrito y pisotearon las frutas y verduras desparramadas en el suelo.

Entonces Mohamed se regó con gasolina, de la cabeza a los pies, y se prendió fuego.

Y esa fogata chiquita, no más alta que cualquier vendedor callejero, alcanzó en pocos días el tamaño de todo el mundo árabe, incendiado por la gente harta de ser nadie.

Diciembre
18

Los primeros exiliados

Hoy, Día del emigrante, no viene mal recordar que Adán y Eva fueron los primeros condenados a emigrar en toda la historia de la humanidad.

Según la versión oficial, Adán fue tentado por Eva: fue ella quien le ofreció la fruta prohibida, y por culpa de Eva fueron los dos expulsados del Paraíso.

Pero, ¿habrá sido así? ¿O Adán hizo lo que hizo porque quiso?

Quizás Eva no le ofreció nada, ni le pidió nada.

Quizás Adán decidió morder la fruta prohibida cuando supo que Eva ya la había mordido.

Quizás ella ya había perdido el privilegio de la inmortalidad, y Adán eligió compartir su castigo.

Y fue mortal, pero mortal acompañado.

Diciembre
19

Otra exiliada

A fines de 1919, doscientos cincuenta *extranjeros indeseables* partieron del puerto de Nueva York, con prohibición de regresar a los Estados Unidos.

Entre ellos, marchó al exilio Emma Goldman, *extranjera de alta peligrosidad,* que había estado presa varias veces por oponerse al servicio militar obligatorio, por difundir métodos anticonceptivos, por organizar huelgas y por otros atentados contra la seguridad nacional. Algunas frases de Emma:

La prostitución es el más alto triunfo del puritanismo.

¿Hay acaso algo más terrible, más criminal, que nuestra glorificada y sagrada función de la maternidad?

El Reino de los Cielos ha de ser un lugar terriblemente aburrido si los pobres de espíritu viven allí.

Si el voto cambiara algo, sería ilegal.

Cada sociedad tiene los delincuentes que merece.

Todas las guerras son guerras entre ladrones demasiado cobardes para luchar, que mandan a otros a morir por ellos.

El encuentro

La puerta estaba cerrada:
  —¿*Quién es?*
  —*Soy yo.*
  —*No te conozco.*
Y la puerta siguió cerrada.
Al día siguiente:
  —¿*Quién es?*
  —*Soy yo.*
  —*No sé quién eres.*
Y la puerta siguió cerrada.
Y al otro día:
  —¿*Quién es?*
  —*Soy tú.*
Y la puerta se abrió.

(Del poeta persa Farid al-din Attar, nacido en 1119, en la ciudad de Nishapur)

Diciembre
21

La alegría de decir

Este día podría ser cualquier otro día.
De Enheduanna, no se saben los días.

Sí se sabe que hace cuatro mil trescientos años, Enheduanna vivió en el reino donde se inventó la escritura, ahora llamado Irak,
y ella fue la primera escritora, la primera mujer que firmó sus palabras,
y fue también la primera mujer que dictó leyes,
y fue astrónoma, sabia en estrellas,
y sufrió pena de exilio,
y escribiendo cantó a la diosa Inanna, la luna, su protectora, y celebró la dicha de escribir, que es una fiesta,
como parir,
dar nacimiento,
concebir el mundo.

La alegría de volar

Hay quienes aseguran que los hermanos Wright inventaron el avión, en estos días de fines de 1904, pero otros sostienen que Santos Dumont fue, un par de años después, el creador del primer aparato digno de ese nombre.

Lo único cierto de toda certeza es que trescientos cincuenta millones de años antes, unas alitas despuntaron en el cuerpo de las libélulas, y las alitas fueron alas que siguieron creciendo, durante algunos millones de años más, por las puras ganas de viajar.

Las libélulas fueron las primeras pasajeras del aire.

Resurrecciones

En 1773, la tierra tembló de hambre y en un par de días devoró a la ciudad, ahora llamada Antigua, que durante más de dos siglos había reinado en Guatemala y en toda la región.

Pero en las fiestas religiosas, Antigua se alza desde sus ruinas. Sus calles son alfombras de flores, flores que dibujan soles y frutas y aves de mucho plumaje, y entonces ya no se sabe si los pies que las caminan celebran el próximo nacimiento de Jesús o el renacimiento de la ciudad.

Los vecinos han tejido, manos pacientes, pétalo tras pétalo, hoja tras hoja, esos jardines callejeros, para que Antigua sea inmortal mientras dure la fiesta.

¡Milagro!

En la Nochebuena de 1991, murió la Unión Soviética y en su pesebre nació el capitalismo ruso.

La nueva fe hizo el milagro: por ella iluminados, los funcionarios se hicieron empresarios, los dirigentes del Partido Comunista cambiaron de religión y pasaron a ser ostentosos nuevos ricos, que pusieron bandera de remate al Estado y compraron a precio de banana todo lo comprable en su país y en el mundo.

Ni los clubes de fútbol se salvaron.

El viaje del sol

Jesús no podía festejar su cumpleaños, porque no tenía día de nacimiento.

En el año 354, los cristianos de Roma decidieron que él había nacido el 25 de diciembre.

Ese día, los paganos del norte del mundo celebraban el fin de la noche más larga del año y la llegada del dios Sol, que venía a romper las tinieblas.

El dios Sol había llegado a Roma desde Persia.

Se llamaba Mitra.

Pasó a llamarse Jesús.

El viaje al mar

En los tiempos idos, los hijos del sol y las hijas de la luna vivían juntos en el reino africano de Dahomey.

Y juntos vivieron, abrazándose, peleándose, hasta que los dioses los apartaron y los condenaron a la lejanía.

Desde entonces, los hijos del sol son peces en la mar y las hijas de la luna son estrellas en la noche.

Las estrellas de mar no caen del cielo: desde el cielo viajan. Y en las aguas buscan a sus amantes perdidos.

Diciembre
27

El viajero

Matsuo Basho nació destinado a ser samurai, pero renunció a las guerras y fue poeta. Poeta caminante.

Un mes después de su muerte, allá por el año 1694, ya los caminos de Japón extrañaban los pasos de sus sandalias de paja y las palabras que dejaba colgadas en los techos que le daban albergue. Como éstas:

Los días y los meses son viajeros de la eternidad.
Así pasan los años.
Viajan cada minuto de sus días quienes navegan
la mar o cabalgan
la tierra, hasta que sucumben bajo el peso del tiempo.
Muchos viejos mueren en el viaje.
Yo sólo he sucumbido a la tentación de las nubes, las
vagabundas del cielo.

Diciembre
28

Nostalgia del futuro

Oscar Niemeyer entró en el año 2007 con cien años de edad y ocho nuevas obras en ejecución.

El arquitecto más activo de todos no se cansaba de transformar, proyecto tras proyecto, el paisaje del mundo.

Sus viejos ojos no subían al alto cielo, que nos humilla, pero estaban siempre nuevos para quedarse, gustosos, contemplando la navegación de las nubes, que eran su fuente de inspiración para las próximas creaciones.

Allá, en el nuberío, él descubría catedrales, jardines de flores increíbles, monstruos, caballos al galope, aves de muchas alas, mares que estallaban, espumas que volaban y mujeres que ondulaban y en el viento se ofrecían y en el viento se iban.

Cada vez que los médicos lo internaban en el hospital, creyendo que ya le había llegado la hora, Oscar mataba el aburrimiento componiendo sambas, que cantaba junto con los enfermeros.

Y así este cazador de nubes, este perseguidor de la belleza fugitiva, dejó atrás su primer siglo de vida, y siguió de largo.

Diciembre
29

El camino es el destino

Había sido copiosa la bebedera, diciendo adiós al año que pronto se iría, y andaba yo perdido en las calles de Cádiz. Pregunté por dónde se iba al mercado. Un viejo desprendió su espalda de la pared y muy desganadamente me respondió, señalando nada:

—*Tú haz lo que la calle te diga.*

La calle me dijo, y yo llegué.

Algunos miles de años antes, Noé había navegado sin brújula, ni velas, ni timón.

El arca se dejó ir, por donde el viento le dijo, y se salvó del diluvio.

**Diciembre
30**

De música somos

*Cuando afino el oído
escucho músicas que vienen de muy lejos,
del pasado,
de otros tiempos,
de horas que ya no son
y de vidas que ya no están.
Quizá las vidas nuestras
están hechas de música.
En el día de la resurrección,
mis ojos se abrirán nuevamente en Sevilla.*

(De Boabdil, último rey de la España musulmana)

Diciembre
31

El viaje de la palabra

En el año 208, Serenus Sammonicus escribió en Roma un libro, *Asuntos secretos*, donde revelaba sus descubrimientos en el arte de la sanación.

Este médico de dos emperadores, poeta, dueño de la mejor biblioteca de su tiempo, proponía, entre otros remedios, un infalible método para evitar la fiebre terciana y espantar la muerte: había que colgarse al pecho una palabra y protegerse con ella noche y día.

Era la palabra *Abracadabra*, que en hebreo antiguo quería decir, y sigue diciendo:

Envía tu fuego hasta el final.

Índice de nombres

A

ABC: 283
Abraham: 71
Acosta, Juan Pío: 68
Adán: 34, 137, 396
AESGener: 341
Afganistán: 149, 192, 325, 339
África: 28, 50, 74, 108, 119, 257, 292, 293, 309, 381
Afrodita: 57
Aguilar, Juana (la Larga): 52
Alá: 32, 88
Alabama: 19
Alabama (Estados Unidos): 384
Alagoas: 83, 115
Alaska: 100
Alejandría: 17, 202
Aleksander, príncipe: 272
Aleksandra: 272
Alemania: 44, 97, 233, 253, 281, 282, 343, 375
Alice, esclava: 323
Allende, Salvador: 284
Alpes, los: 172
Altamira, caverna de: 383
Alto Paraná, selva del: 371
Alvarado, Pedro de: 255
Amarillo, río: 250
Amaru, Túpac: 164
Amazonia: 393
Ameghino, Florentino: 306

América: 16, 34, 38, 39, 50, 83, 126, 182, 187, 216, 247, 254, 257, 268, 277, 290, 319, 323, 324, 327, 340, 380, 388, 390
América Latina: 39, 75
American Psychiatric Association: 124
Ámsterdam: 258
Andalucía: 130
Andes, cordillera de los: 98, 204, 247
Andrei, príncipe: 272
Anselmo, cabo: 21
Anthony, Susan: 198, 199
Antigua, ciudad: 401
Apalaches, cordillera de los: 186
Aqualtune, princesa africana: 83
Aquino, santo Tomás de: 88
Arabia Saudita: 84
Aranha, Felipa María: 83
Araracuara (Colombia): 96
Arbenz, Jacobo: 139
Argentina: 85, 151, 190, 196, 210
Aristóteles: 88
Arlequín, teatro: 385
Armada Invencible (flota española): 128
Artemisa: 230, 299
Artigas, José: 289, 290
Asociación Alemana de Fútbol: 300
Asuán, ciudad de: 202

Atahualpa, rey del Perú: 183
Atenas: 234, 277
Attar, Farid al-din: 398
Auschwitz (Oswiecim): 174
Australia: 35, 38, 62, 91, 154
Austria: 175, 283
Aventis: 61
Ayacucho: 98
Azurduy, Juana: 259

B

Bagdad: 17
Bahía (Brasil): 83
Bahía de Cochinos: 134
Baker Street: 172
Balaam: 71
Balaguer, Emma: 317
Ballestrino, Esther: 144
Banco Barings: 75
Banco Mundial: 235, 393, 394
Banderas, Antonio: 364
Barbosa, Moacir: 227
Barnum, Phineas: 218
Barrett Browning, Elizabeth: 37
Barrett Browning, Robert: 37
Barrett, Rafael: 21
Barrett, Soledad: 21
Basho, Matsuo: 405
Basílica de San Pedro: 391
Bayer: 61
Bayer, Osvaldo: 65
Beatles, Los: 59
Bélgica: 168, 283, 341
Bellarmino, Roberto: 170
Bell, Joshua: 26
Benedicto, papa: 174
Benga, Ota: 167
Benguela, Teresa de: 83
Berlín: 29, 74, 304, 355

Bernal Díaz del Castillo, el
    conquistador: 383
Bernal, Lorenzo: 184
Bernays, Edward: 116
Betty Boop: 263
Bianchi, Francisco: 103
Biblia: 31, 71, 75, 88, 137, 160, 217
Blagojevic, Petar: 175
Blanco, Hugo: 361
Bly, Nellie: 360
Boabdil, rey: 408
Bobadilla, Rosa: 297
Bolívar, Simón: 256
Bolivia: 40, 85, 320, 326
Bonaparte, Napoleón: 36, 72, 218,
    269, 277
Boninsegna, José Armando: 382
Boniperti, Gian Piero: 224
Bonpland, Aimé: 216
Borges, Jorge Luis: 137
Borneo, isla de: 238
Botswana: 309
Bouazizi, Mohamed: 395
Brasil: 21, 36, 68, 83, 115, 151,
    221, 223, 227, 228, 288, 374,
    385
Braslavsky, Guido: 104
Brecht, Bertolt: 137
British Air Council: 38
Broadway: 263
Bronx (Estados Unidos): 167
Brown, John: 380
Bruno, Giordano: 170
Buenos Aires: 104, 189, 190, 210,
    259, 306
Buñuel, Luis: 85
Busch, circo: 304
Bush, George W.: 17, 304
Butler, Smedley: 30

C

Cabral, Amílcar: 292
Cádiz: 407
Caiboaté, colinas de: 58
California: 103, 131
Cambalache (tango): 151
Canadá: 330
Canarias, islas: 82
Cancún (México): 376
Candido, João: 373
Cantinflas (Mario Moreno
    Reyes): 85
Cañizares, Manuela: 256
Capone, Alphonse (Al
    Capone): 30
Caracas: 340
Cardano, Girolamo: 301
Caribe, mar: 134, 268, 317
Carlomagno: 42
Carlos II, rey: 352
Carlos I, rey: 328
Carroll, Lewis: 229
Cartagena de Indias: 49
Cartago: 277
Carter, Howard: 155
Caruso, Enrico: 131
Carver, George: 19
Casa Blanca (Estados Unidos): 235
Cavalcanti, José Paulo: 389
Caxias, marqués de: 51
Ceará, desierto de: 393
Celanese: 61
Centroa: 294
César, Julio: 17, 95
Chang y Eng, hermanos
    siameses: 218
Chartres: 316
Chávez, Hugo: 125
Checoslovaquia: 283

Che Guevara: 320, 321
Chejov, Anton: 43
Chengdu, estación de: 60
Chernobyl: 140
Chiapas: 247
Chicago: 30, 354
Chile: 184, 284, 341, 367
China: 37, 158, 249, 250, 338
Chiquita Brands: 93
Churchill, Winston: 38, 261
Cleopatra: 17
Cnido, ciudad de: 57
Cockburn, Claude: 140
Código Hays: 263
Collodi, Carlo: 251
Colocolo, jefe indio: 184
Colombia: 337, 339
Colón, Cristóbal: 187, 317
Columbus, ciudad de: 89
Comité de Actividades
    Antiamericanas: 384
Conceição das Crioulas,
    comunidad de: 83
Congo: 167, 168
Connecticut: 218
Constantino, emperador: 171
Cooke, John: 328
Cook, James: 35
Copérnico, Nicolás: 170
Corá, cerro: 81
Corán, el: 88
Córdoba (Argentina): 104
Corea del Norte: 220
Corsario Negro, el: 293
Cortés, Hernán: 296, 318, 319, 350
Coruña: 189
Cos, ciudad de: 57
Costa Rica: 379
Coubertin, barón de: 258
Coyoacán, convento de: 318

Cranach, Lucas: 343
Crillon, hotel: 191
Crioula, Mariana: 83
Cristo: 17, 95, 202, 230, 299
Crowley, Richard: 198
Cruz del Sur: 216
Cuba: 85, 134, 223
Cuzco: 164, 361

D

Da Cutri, Leonardo: 265
Dahomey, reino de: 404
Dalton, Roque: 156
Damasceno, san Juan: 88
Darwin, Charles: 369
Darwin, Erasmus: 369
Dávalos, Juan Carlos: 25
Decca Recording Company: 59
De la Cruz, sor Juana Inés: 358
Delaware, río: 323
Delft: 336
Delon, Alain: 364
Delta and Pine: 262
Demonio: 34, 127, 303
Descartes, René: 353
Diablo: 27, 28, 39, 90, 297, 302, 343
Díaz, Porfirio: 296
Diego de la Vega, el Zorro: 364
Diego García, isla: 313
Dien Bien Phu, cuartel de: 153
Diluvio, el: 71
Dimitri, príncipe: 272
Di Monte, Piero: 196
Dinamarca: 283
Dios: 19, 28, 31, 32, 66, 73, 74, 76, 105, 170, 174, 190, 252, 295, 302, 317, 323, 369, 390
Discépolo, Enrique Santos: 151

Disney, Walt: 251
Donne, John: 111
Don Quijote de La Mancha: 137
Dostoievski, Fiodor: 357
Doyle, Arthur Conan: 172
Drácula, conde: 175
Dresden: 375
Ducasse, Isidore: 118
Dumas, Alejandro: 222
Dumont, Santos: 400
DuPont: 61

E

Ecuador: 22, 109, 185, 256
Edwards, Henrietta: 330
Éfeso: 230
Egipto: 17, 52
Eiffel, torre: 191
Einstein, Albert: 132, 136
Eisenhower, Dwight: 139, 255, 314
Elba, isla de: 72
El Salvador: 156
Endesa: 341
Engels, Friedrich: 23
Enheduanna: 399
Eratóstenes: 202
Eróstrato: 230
Escandinavia: 208
Escocia: 215
España: 16, 58, 63, 85, 135, 161, 189, 271, 319, 352, 392, 408
Esparragosa, Narciso: 52
Espejo, Manuela: 256
Espírito Santo (Brasil): 83
Espíritu Santo: 103
Estadio Nacional (Chile): 367
Estados Unidos de América: 23, 27, 30, 76, 89, 100, 107, 116,

117, 138, 139, 148, 153, 185, 198, 213, 233, 263, 264, 277, 298, 308, 313, 339, 342, 347, 355, 365, 380, 397
Estambul (Constantinopla): 70
Estocolmo: 128, 149
Etiopía: 370
Eudoxia: 272
Eurípides: 384, 385
Europa: 23, 36, 42, 58, 71, 74, 126, 140, 196, 200, 216, 233, 269, 283, 381
Eva: 137, 391, 396
Exposición Internacional de París: 129
Exû: 50

F

Fairbanks, Douglas: 364
Far West: 148, 293
FBI: 274; véase Federal Bureau of Investigations
Federal Bureau of Investigations (FBI): 132
Felipe II, rey: 265
Fernando (vagabundo): 173
Ferreira, Francisca y Mendecha: 83
Figueres, Pepe: 379
Filadelfia: 23
Filipinas, islas: 293
Finlandia: 283
Finlay, Carlos: 260
Flanagan, Hallie: 384
Florencia (Italia): 66, 188
Fondo Monetario Internacional: 123, 235, 394
Fonseca Amador, Carlos: 242
Fortunato, Ángela: 65
Foster, Maud: 65

Fracastoro, Girolamo: 254
Francesco (ayudante de Miguel Ángel): 66
Francia: 27, 72, 129, 153, 166, 176, 222, 253, 271, 283, 285
Francisco de Asís, san: 217
Franco, Francisco: 63, 283
Freire, Paulo: 288, 374
Fuji, monte: 92
Fukushima: 140

G

Gabriel, arcángel: 28, 105
Galilei, Galileo: 170
Gambá, Zacimba: 83
Gandhi, Mahatma: 261
García, Consuelo: 65
Gelman, Macarena: 64
Génesis: 11
Génova: 49, 201
Geppetto, el carpintero: 251
Gerónimo (indio apache): 148
Gibraltar, estrecho de: 234
Ginés de Sepúlveda, Juan: 388
Girardelli, La Signora: 177
Giraud, Marie-Louise: 349
Glaucón: 331
Goldman, Emma: 397
Gong, príncipe: 338
Gonzaga, Chiquinha: 51
Gouges, Olympia de: 349
Gough, lady: 37
Goya, Francisco de: 129
Gracia, Marcela: 189
Granada: 16
Grand Café de París: 99
Grecia: 258, 331
Guadalajara: 61, 271
Guanajuato, ciudad de: 354

Guatemala: 52, 103, 120, 138, 139, 255, 401
Guayaquil: 197
Güegüence: 39
Guinea-Bissau: 292
Guipúzcoa: 49
Gutenberg, Johannes: 71

H

Habsburgo, los: 352
Haití: 27, 28, 262, 269, 348
Halley, cometa: 165
Hammurabi, rey de Babilonia: 121
Hawaii: 35
Hegel, Georg Friedrich: 137
Helsinki: 239
Hércules: 234
Hergé (Georges Prosper Remi): 168
Heródoto: 299
Hessel, Stéphane: 23
Hidalgo, Miguel: 296
Hikmet, Nazim: 20
Hill, Joe: 365
Hiroshima: 76, 252, 308, 375
Hitler, Adolfo: 44, 233, 273, 282, 283, 349, 375
Holanda: 181, 283
Holbein, Hans: 343
Hollywood: 76, 77, 108, 117, 175, 251, 263, 322, 364
Holmes, María de las Mercedes: 287
Hong Kong: 347
Honorata: 293
Houdini: 304
Huanoquite (Perú): 361
Hunt, Ward: 198

I

IBM: 61
Iemanyá: 50
Ifé, ciudad sagrada de: 119
Iglesia Católica: 28, 85, 170, 174, 176, 189, 203, 210, 340, 343
Iglesia del Verbo: 103
Imperio Británico: 261
Inanna: 399
India: 261
Infierno: 16, 154, 190, 208, 209, 266, 272, 286
Inquisición: 129, 170; véase Santa Inquisición
Inti Raymi: 204
Irak: 17, 100, 325, 399
Irán: 139
Isidro Labrador, san: 390
Islandia: 123
Ismael, Abdul Kassem: 17
Israel: 217
Israel, estado de: 160
Italia: 251
Iván, el Terrible: 272

J

Jamaica: 54
James II, rey: 215
James, Jesse: 117
Japón: 92, 405
Jerjes, rey de Persia: 299
Jesucristo: 135; véase Jesús de Nazaret
Jesús de Nazaret: 50, 105, 126, 217, 236, 301, 318, 390, 401, 403
Jiménez, Ángela: 297
João, campesino: 288

João, príncipe: 231
Josafat, abadía de: 316
Juana de Arco: 176
Juan Bautista, san: 390
Juan, san: 203
Juliache, María: 65
Justiniano, emperador: 70
Juventus: 224

K

Kahlo, Frida: 219
Katyn, matanza de: 375
Kealakekua, bahía de: 35
Kepler, Johannes: 362
Khama, Seretse: 309
Kharkov, matanza de: 375
Kinchil, pueblo de: 106
King, Martin Luther: 274
Kisiljevo, aldea de: 175
Klee, Paul: 386
Kooning, Willem de: 232
Ku Klux Klan: 77, 117
Kurosawa, Akira: 92

L

Labat, Jean-Baptiste: 268
Laden, Osama Bin: 148
Lafargue, Paul: 372
La Flesche, Susan: 298
Lago Agrio: 109
La Gomera, isla: 82
La Habana: 260
Lame, Quintín: 337
Lamport, William: 364
Landa, Diego de: 127
Lapinha, Joaquina: 200
La Rioja (España): 135
Las Vegas: 354

Laurence, William L.: 308
Lautréamont, Conde de: 118
Lecumberri, cárcel de: 296
Lee, Robert, coronel: 380
Le Moniteur Universel: 72
Lenin, Vladimir: 91, 137
Lenkersdorf, Carlos y Gudrun: 97
Leonid, arzobispo: 272
León, Manuela: 22
Le Siècle: 222
Levi Montalcini, Rita: 387
Levoisier, Jean: 316
Lezo, Blas de: 49
Libia: 325
Lidia, reino de: 331
Life: 76, 232
Lillo, Miguel Ignacio: 305
Lima (Perú): 110, 319
Lincoln, Abraham: 117
Liñeira, Oscar: 196
Lisboa: 36, 200
Liverpool: 59
Loij, Ángela: 69
Londres: 37, 59, 94, 111, 283, 309, 328
López de Santa Anna, Antonio: 307
López de Segura, Ruy: 265
López Rocha, Miguel: 61
Lorz, Fred: 214
Los Ángeles: 76, 354
Lucy (momia): 370
Luis XIV (Rey Sol): 285
Luis XVIII: 72
Luis XVI, rey: 296
Lumière, Louis y Auguste: 99
Lunacharski, Anatoli: 31
Lustig, Viktor, conde: 191
Lutero, Martín: 88, 343

Luxemburgo, Rosa: 29
Lynch, Elisa: 81
Lyon, ciudad de: 99

M

Machado y Álvarez, Antonio: 130
Mack, Myrna: 138
Madres de Plaza de Mayo: 144
Madrid: 85, 129, 269, 352
Mãe Domingas: 83
Mahoma: 32, 88
Malasia: 293
Malvinas, islas: 194
Mandela, Nelson: 213
Manhattan Minerals
  Corporation: 183
Maní de Yucatán, convento
  de: 127
Manso, Juana: 210
Manzanares, río: 129
Maracaibo, golfo de: 293
Maracaná, estadio de: 227, 228
Maradona, Diego: 225
Mares, Encarnación: 297
María Antonieta, reina: 349
María I de Portugal, reina: 36
Mariana, lady: 293
María, reina: 231
Marley, Bob: 54
Marlowe, Christopher: 384
Marruecos, reino de: 133
Maruja: 110
Marx, Karl: 23, 91, 94, 372
Marx, Laura: 372
Maryland (Estados Unidos): 107
Mata Hari: 253
Mato Grosso: 83
Matos, Gregório de: 385
McClung, Nellie: 330

McDonald's: 326
McKinney, Louise: 330
Méliès, Georges: 99
Melville, Herman: 359
Menchú, Rigoberta: 255
Mendes, Chico: 393
México: 34, 85, 89, 97, 187, 219,
  296, 297, 307, 318, 320, 327,
  339, 347, 348, 355, 358, 360,
  364, 390, 392
Miami: 134
Miauzhu, ciudad de: 158
Miednoje, matanza de: 375
Miguel Ángel: 66, 188
Minh, Ho Chi (el tío Ho): 153
Mirabal, hermanas: 371
Miró, Joan: 386
Mitra: 403
Moctezuma: 296, 350
Monsanto: 262
Monterrey (México): 354
Montevideo (Uruguay): 118
Morales, Evo: 40
Moralles, Manuel: 56
Moro, Tomás: 166
Moscú: 31, 132, 269, 272, 357
Mossadegh, Mohamad: 139
Mozart, Wolfgang Amadeus: 41
Mulata de Córdoba, la: 303
Múnich: 349
Murdoch, Rupert: 91
Murphy, Emily: 330
Murray Hill Inc.: 107
Museo del Prado: 129
Mussolini, Benito: 273, 387

N

Naciones Unidas: 133, 394
Nagasaki: 76, 308, 375

Nessler, Karl: 315
Nestlé: 61
Neva, río: 357
Newton, Isaac: 18
Nezahualcóyotl: 187
Nicaragua: 39, 141, 320
Nicea, ciudad de: 171
Niemeyer, Oscar: 406
Nigeria: 201
Nikolai, príncipe: 272
Nishapur, ciudad de: 398
Nixon, Richard: 339
Nobel, Alfred: 333
Noruega: 283
Nueva York: 167, 198, 232, 295, 359, 397
Núñez de Haro, Alonso: 392

O

Obama, Barack: 388
Obdulio: 228
Ogún: 50
O'Keeffe, Georgia: 86
Olimpo, el: 50
Olivares, Manuel Alba: 225
Omolade, Akeem: 201
Operación Gerónimo: 148
Oporto: 189
Orán: 49
Organización Mundial de la Salud: 162, 238
Oriente: 52, 293
Orinoco, río: 159
Oruro: 98
Oshún: 50
Oswiecim (Auschwitz): 174
Oxumaré: 50

P

Pablo el Silenciario: 70
Pachamama: 247
Padre Sol: 390
Padua: 351
Paine, Thomas: 23
Pakistán: 325
Palace, hotel: 131
Palenque, ciudad de: 248
Palermo (Italia): 322
Palestina: 160, 325
Palestine Royal Commission: 38
Palmares, refugio de: 83
Pambelé, Kid: 248
Panamá: 73
Pará (Brasil): 83
Paraguay: 81, 385
París: 118, 129, 157, 191, 241, 269, 271, 306, 307, 349
Parlby, Irene: 330
Parodi, Silvina: 195
Parra, Violeta: 53
Partido Comunista: 402
Partido Conservador (Estados Unidos): 141
Partido de la Caridad, la Libertad y la Diversidad: 181
Pascal, Blaise: 285
Patagonia argentina: 65
Patton, George: 277
Pauling, Linus: 76
Paulo III, papa: 182
Paz, Bartolomé: 361
Pedro, san: 209
Pekín: 60
Pemaulk: 69
Pentágono: 192, 193
Pernambuco: 83, 374
Persia: 403

Perú: 361
Pessoa, Fernando: 389
Pinochet, Augusto: 341, 367
Pinocho: 251
Pinto, Mercedes: 85
Piotr, príncipe: 272
Pireo: 331
Pisonis, Calpurnia: 95
Pitt, Brad: 117
Pittsburgh: 360
Pizarro, Francisco: 183, 319
Plan Cóndor: 64
Platón: 137, 331
Po, Li: 205
Pollock, Jackson: 232
Polonia: 282, 283
Ponce, María Eugenia: 144
Poot, Felipa: 106
Portugal: 36, 58, 189, 389
Potosí: 259
Power, Tyrone: 117, 364
Praxíteles: 57

Q

Quariterê: 83
Quebrada del Yuro (Bolivia): 320
Quetzalcóatl: 34, 350, 392
Quevedo, Francisco de: 88
Quinteras, María: 297
Quiroga, Horacio: 67
Quito: 197

R

Rabasco, Marcos: 135
Rafuema: 96
Ramazzini, Bernardino: 351
Ramona, Juana (la Generala):
    297

Ramón y Cajal, Santiago: 386
Reagan, Ronald: 339
Real Audiencia: 392
Real Audiencia de Guatemala: 52
Repnin, príncipe: 272
República Dominicana: 317, 371
Resistencia (Chaco): 173
Rey de España: 58
Rey de Portugal: 58
Riachuelo: 104
Río de Janeiro: 36, 51, 83, 150,
    200, 231, 363, 373
Río de la Plata: 104
Ríos Montt, Efraín: 103
Rivera, Miguel Primo de: 85
Robertson, Pat: 27, 28
Robin Hood: 117
Robles, Amelia: 297
Rockefeller, John D.: 169
Rodríguez, Amalia: 65
Rodríguez, Simón: 340
Roma: 15, 95, 131, 317, 343, 403,
    409
Rómulo y Remo: 235
Rosa, Noel: 150, 151
Rosario (Argentina): 104
Rothko, Mark: 232
Rouen: 176
Rudd, Kevin: 62
Ruders, Carl: 200
Ruiz, Petra: 297
Ruiz y Picasso, Pablo Diego
    José Francisco de Paula Juan
    Nepomuceno María de los
    Remedios Cipriano de la
    Santísima Trinidad (Pablo
    Picasso): 122
Rumania: 108
Russo, Genco: 322

S

Sáenz, Manuela: 256
Sahara, desierto de: 133
Saint Louis (Estados Unidos): 214
Saint Martin de Laon, monasterio de: 316
Salamina, batalla de: 299
Salgari, Emilio: 293
Salta: 25
Salt Lake City: 365
Sammonicus, Serenus: 409
Samosata, Luciano de: 234
Sánchez, Elisa: 189
Sancho Panza: 137
Sandino, Augusto César: 320
Sandokán: 293
San Francisco de Texcoco, iglesia de: 318
San Francisco (Estados Unidos): 131
San Juan de Ulúa, isla de: 303
San Julián, puerto de: 65
San Petersburgo: 357
San Salvador de Bahía: 385
Santa Croce: 66
Santa Inquisición: 16, 32, 52, 190, 207, 301, 303
Santa Paula, cementerio: 307
Santiago del Estero: 24
Santiago, río: 61
Santísima Trinidad: 89
Santo Domingo, catedral de: 317
Santo Domingo (República Dominicana): 287
Sardina, Pedro, obispo: 115
Satán: 237, 316
Satanás: 50, 127
Scholl, Sophie: 349
Schopenhauer, Arthur: 88
Schubert, Franz: 26
Scliar, Moacyr: 254
Semenovsk, plaza: 357
Sena, río: 176
Senegal: 275
Senghor, Léopold: 275
Sergipe (Brasil): 288
Servando Teresa de Mier, fray: 392
Sevilla: 318, 408
Shakespeare: 111, 384
Shearer, Douglas: 108
Sherlock Holmes: 137, 157, 172
Sichuan: 60
Sicilia: 322
Simeón, san: 163
Simiao, Sun: 333
Sinatra, Frank: 322
Sixto V, papa: 391
Smith, David: 355
Snuyon, príncipe: 272
Sociedad Española de Historia Natural: 383
Sócrates: 331
Solano López, Francisco: 81
Sorocaba: 56
SS (Alemania): 233
Stalin, José: 375
Standard Oil Company: 84, 169
Stanton, Elizabeth: 199
Starnes, Joe: 384
Sterne, Hedda: 232
Stoker, Bram: 175
Strand: 172
Suecia: 128
Sullivan, Roy: 55
Sung, Kim Il: 220
Sûreté Générale (policía francesa): 157
Surita, Tomasa: 197

T

Tambogrande (pueblo): 183
Tartini, Giuseppe: 90
Tarzán: 108, 258, 263
Telepnev, príncipe: 272
Tenochtitlán: 350
Texaco (compañía): 109
Texas: 233
Texcoco (México): 187
Tezcatlipoca: 390
The New York Times: 103, 308
The Washington Post: 26
Thiers, Adolphe: 222
Tierra del Fuego: 69
Tilove, Jonathan: 152
Times: 172
Tintín: 168
Tissié, Philippe: 199
Titanic: 128
Titicaca, lago: 204
Tiutin, príncipe: 272
Tívoli, sala: 131
Tlaloc: 390
Tocantins (Brasil): 83
Tomás, apóstol: 392
Tonantzin: 390, 392
Treviso: 201
Trombetas, río: 83
Trudo, Agaja, rey de
    Dahomey: 381
Truganini, reina: 154
Trujillo, Rafael: 371
Truman, Harry: 252
Túnez: 395
Turquía: 20
Tutankamón: 155
Twain, Mark: 165

U

Ucrania: 140
Unión Europea: 123
Unión Soviética: 264, 367, 402
United Fruit Company: 93, 139
United Plastics: 61
Universidad de Madrid: 85
Universidad de Stanford: 267
Uruguay: 64, 85, 206, 210, 228,
    258, 289, 290
Uruguay, río: 58
Utopía: 166

V

Valdés, Francisco: 367
Vallejo Nájera, Antonio: 63
Vallejo, teniente: 22
Van Gogh, Theo: 240
Van Gogh, Vincent: 240
Van Leeuwenhoek, Antonie: 336
Varella, Drauzio: 356
Vasa (Invencible, buque de
    guerra): 128
Vaticano, el: 170
Venezuela: 125
Veracruz: 310, 383
Veracruz, puerto de: 303
Vermeer, Johannes: 336
Verne, Julio: 360
Versalles, palacio de: 307
Vía Láctea: 249
Victoria, reina: 37, 338
Videla, Jorge Rafael: 104
Vidocq, Eugène François: 157
Vietnam: 153, 274
Villaflor, Azucena: 144
Villa, Francisco (Pancho): 89, 297
Villagra, Helena: 226

Villalobos, Heitor: 363
Viracocha: 204
Virgen de Guadalupe: 390
Virgen María: 105, 152, 390, 392
Virginia: 55
Virginia (Estados Unidos): 380
Vitalino: 221
Vladimir: 272
Voltaire: 285
Voltaire (François Arouet): 137
Von Braun, Werner: 233
Von Humboldt, Alexander: 216

W

Wall Street: 152, 191, 295
Washington, ciudad de: 26, 152,
    235, 274, 384
Washington, George: 218
Watt, James: 33
Weissmuller, Johnny: 108, 258
Welles, Orson: 342
West, Mae: 263
Williams, Ruth: 309
Wilson, Woodrow: 116
Wittenberg, castillo de: 343
Woods, Bretton: 235
Wright, hermanos: 400
Wuhan, zoológico de: 158

X

Xalapa (México): 307
Xangô: 50
Xerox: 61
Xochipilli: 390
Xstrata, minera: 341

Y

Yahvé: 88
Yale, Linus: 332
Yangtsé, río: 205, 250
Yáñez, el navegante: 293
Yemen: 325
Yucatán: 106, 127, 243, 293
Yupanqui, Atahualpa: 45

Z

Zamata, Francisco: 361
Zapata, Emiliano: 290, 297,
    320
Zatopek, Emil: 239
Zeferina: 83
Zin Nu, tejedora: 249
Zizinho: 228

Índice

Gratitudes 9

Enero 13
1. Hoy [15]. **2.** Del fuego al fuego [16]. **3.** La memoria andante [17]. **4.** Tierra que llama [18]. **5.** Tierra que dice [19]. **6.** Tierra que espera [20]. **7.** La nieta [21]. **8.** No digo adiós [22]. **9.** Elogio de la brevedad [23]. **10.** Distancias [24]. **11.** El placer de ir [25]. **12.** La urgencia de llegar [26]. **13.** Tierra que brama [27]. **14.** La maldición haitiana [28]. **15.** El zapato [29]. **16.** La ley mojada [30]. **17.** El hombre que fusiló a Dios [31]. **18.** Agua sagrada [32]. **19.** Con él nació una era [33]. **20.** Sagrada serpiente [34]. **21.** Ellos caminaban sobre las aguas [35]. **22.** La mudanza de un reino [36]. **23.** Madre civilizadora [37]. **24.** Padre civilizador [38]. **25.** El derecho a la picardía [39]. **26.** Segunda fundación de Bolivia [40]. **27.** Para que escuches el mundo [41]. **28.** Para que leas el mundo [42]. **29.** Callando digo [43]. **30.** La catapulta [44]. **31.** De viento somos [45].

Febrero 47
1. Un almirante hecho pedazos [49]. **2.** La diosa está de fiesta [50]. **3.** El carnaval abre alas [51]. **4.** La amenaza [52]. **5.** A dos voces [53]. **6.** El grito [54]. **7.** El octavo rayo [55]. **8.** La besación general [56]. **9.** Mármol que respira [57]. **10.** Una victoria de la Civilización [58]. **11.** No [59]. **12.** Día de la lactancia materna [60]. **13.** El peligro de jugar [61].

14. Niños robados [62]. **15.** Otros niños robados [63].
16. El Plan Cóndor [64]. **17.** El festejo que no fue [65].
18. Solo de él [66]. **19.** Quizás Horacio Quiroga hubiera
contado así su propia muerte [67]. **20.** Día de la justicia social
[68]. **21.** El mundo encoge [69]. **22.** El silencio [70].
23. El libro de los prodigios [71]. **24.** Una lección de realismo
[72]. **25.** La noche kuna [73]. **26.** África mía [74].
27. También los bancos son mortales [75]. **28.** Cuando [76].
29. Lo que el viento no se llevó [77]

Marzo   79
1. Fue [81]. **2.** Silbando digo [82]. **3.** Libertadoras brasileñas
[83]. **4.** El milagro saudí [84]. **5.** El divorcio como medida
higiénica [85]. **6.** La florista [86]. **7.** Las brujas [87].
8. Homenajes [88]. **9.** El día que México invadió a los Estados
Unidos [89]. **10.** El Diablo tocó el violín [90]. **11.** La izquierda
es la universidad de la derecha [91]. **12.** Más sabe el sueño
que la vigilia [92]. **13.** Las buenas conciencias [93].
14. El Capital [94]. **15.** Voces de la noche [95].
16. Cuentacuentos [96]. **17.** Ellos supieron escuchar [97].
18. Con los dioses adentro [98]. **19.** Nacimiento del cine [99].
20. El mundo al revés [100]. **21.** El mundo tal cual es [101].
22. Día del agua [102]. **23.** Por qué masacramos a los indios
[103]. **24.** Por qué desaparecimos a los desaparecidos [104].
25. La anunciación [105]. **26.** Libertadoras mayas [106].
27. Día del teatro [107]. **28.** La fabricación de África [108].
29. Aquí hubo una selva [109]. **30.** Día del servicio doméstico
[110]. **31.** Esa pulga [111].

Abril   113
1. El primer obispo [115]. **2.** La fabricación de la opinión
pública [116]. **3.** Buenos muchachos [117]. **4.** El fantasma
[118]. **5.** Día de la luz [119]. **6.** Travesía de la noche [120].

7. La cuenta del doctor [121]. **8.** El hombre que nació muchas veces [122]. **9.** La buena salud [123]. **10.** La fabricación de enfermedades [124]. **11.** Miedos de comunicación [125]. **12.** La fabricación del culpable [126]. **13.** No supimos verte [127]. **14.** ¿Grandiosos o grandotes? [128]. **15.** Las pinturas negras [129]. **16.** El canto hondo [130]. **17.** Caruso cantó y corrió [131]. **18.** Ojo con él [132]. **19.** Los hijos de las nubes [133]. **20.** La fabricación de papelones [134]. **21.** El indignado [135]. **22.** Día de la tierra [136]. **23.** La fama es puro cuento [137]. **24.** El peligro de publicar [138]. **25.** No me salven, por favor [139]. **26.** Aquí no ha pasado nada [140]. **27.** Las vueltas de la vida [141]. **28.** Este inseguro mundo [142]. **29.** Ella no olvida [143]. **30.** Las rondas de la memoria [144].

Mayo   **145**
1. Día de los trabajadores [147]. **2.** Operación Gerónimo [148]. **3.** La deshonra [149]. **4.** Mientras dure la noche [150]. **5.** Cantando maldigo [151]. **6.** Apariciones [152]. **7.** Los aguafiestas [153]. **8.** El demonio de Tasmania [154]. **9.** Nació para encontrarlo [155]. **10.** El imperdonable [156]. **11.** El todero [157]. **12.** Los sismógrafos vivientes [158]. **13.** Para que cantes, para que veas [159]. **14.** La deuda ajena [160]. **15.** Que mañana no sea otro nombre de hoy [161]. **16.** Marche al manicomio [162]. **17.** La morada humana [163]. **18.** El viaje de la memoria [164]. **19.** El profeta Mark [165]. **20.** Un raro acto de cordura [166]. **21.** Día de la diversidad cultural [167]. **22.** Tintín entre los salvajes [168]. **23.** La fabricación del poder [169]. **24.** Los herejes y el santo [170]. **25.** Herejías [171]. **26.** Sherlock Holmes murió dos veces [172]. **27.** Querido vagabundo [173]. **28.** Oswiecim [174]. **29.** Vampiros [175]. **30.** De la hoguera al altar [176]. **31.** La incombustible [177].

Junio 179
1. Santos varones [181]. **2.** Los indios son personas [182].
3. La venganza de Atahualpa [183]. **4.** Memoria del futuro [184].
5. La naturaleza no es muda [185]. **6.** Las montañas que fueron
[186]. **7.** El rey poeta [187]. **8.** Sacrílego [188]. **9.** Sacrílegas [189].
10. Y un siglo después [190]. **11.** El hombre que vendió la torre
Eiffel [191]. **12.** La explicación del misterio [192]. **13.** Daños
colaterales [193]. **14.** La bandera como disfraz [194]. **15.** Una
mujer cuenta [195]. **16.** Tengo algo que decirte [196]. **17.** Tomasa
no pagó [197]. **18.** Susan tampoco pagó [198]. **19.** Alarma:
¡Bicicletas! [199]. **20.** Este inconveniente [200]. **21.** Todos somos
tú [201]. **22.** La cintura del mundo [202]. **23.** Fuegos [203].
24. El sol [204]. **25.** La luna [205]. **26.** El reino del miedo [206].
27. Somos todos culpables [207]. **28.** El Infierno [208]. **29.** El Más
Acá [209]. **30.** Nació una molestosa [210].

Julio 211
1. Un terrorista menos [213]. **2.** Prehistoria olímpica [214].
3. La piedra en el hoyo [215]. **4.** La Cruz del Sur [216].
5. El derecho de reír [217]. **6.** Engáñame [218].
7. Fridamanía [219]. **8.** El Líder Perpetuo [220].
9. Los soles que la noche esconde [221]. **10.** La fabricación de
novelas [222]. **11.** La fabricación de lágrimas [223].
12. La consagración del goleador [224]. **13.** El gol del siglo
[225]. **14.** El baúl de los perdedores [226]. **15.** Una ceremonia
de exorcismo [227]. **16.** Mi querido enemigo [228]. **17.** Día
de la justicia [229]. **18.** La historia es un juego de dados
[230]. **19.** El primer turista de las playas cariocas [231].
20. La intrusa [232]. **21.** El otro astronauta [233]. **22.** La
otra luna [234]. **23.** Gemelos [235]. **24.** Malditos sean los
pecadores [236]. **25.** Receta para difundir la peste [237].
26. Llueven gatos [238]. **27.** La locomotora de Praga [239].

28. Testamento [240]. **29.** Queremos otro tiempo [241].
30. Día de la amistad [242]. **31.** El tiempo anunciado [243].

Agosto   **245**

1. Madre nuestra que estás en la tierra [247]. **2.** Campeón
[248]. **3.** Los querientes [249]. **4.** Ropa que cuenta [250].
5. El mentiroso que nació tres veces [251]. **6.** La bomba de
Dios [252]. **7.** Espíame [253]. **8.** Maldita América [254].
9. Día de los pueblos indígenas [255]. **10.** Manuelas [256].
11. Familia [257]. **12.** Atletos y atletas [258]. **13.** El derecho a
la valentía [259]. **14.** El maniático de los mosquitos [260].
15. La perla y la corona [261]. **16.** Las semillas suicidas [262].
17. Peligrosa mujer [263]. **18.** La red de redes [264].
19. La guerra en el tablero [265]. **20.** La mano de obra
celestial [266]. **21.** La división del trabajo [267]. **22.** La mejor
mano de obra [268]. **23.** La patria imposible [269].
24. Era el día del dios romano del fuego [270]. **25.** El rescate
de la ciudad prisionera [271]. **26.** La pureza de la fe [272].
27. La pureza de la raza [273]. **28.** "Yo tengo un sueño" [274].
29. Hombre de color [275]. **30.** Día de los desaparecidos
[276]. **31.** Héroes [277].

Setiembre   **279**

1. Traidores [281]. **2.** El inventor de las guerras preventivas
[282]. **3.** Gente agradecida [283]. **4.** Te doy mi palabra
[284]. **5.** Combata la pobreza: mate a un pobre [285].
6. La comunidad internacional [286]. **7.** El visitante [287].
8. Día de la alfabetización [288]. **9.** Estatuas [289].
10. La primera reforma agraria de América [290].
11. Día contra el terrorismo [291]. **12.** Palabras vivientes [292].
13. El viajero inmóvil [293]. **14.** La independencia como
medicina preventiva [294]. **15.** ¡Adopte un banquerito! [295].
16. Baile de disfraces [296]. **17.** Libertadoras mexicanas [297].

18. La primera doctora [298]. **19.** La primera almiranta [299].
20. Campeonas [300]. **21.** Profeta de sí [301]. **22.** Día sin
autos [302]. **23.** Navegaciones [303]. **24.** El mago inventor
[304]. **25.** El sabio preguntón [305]. **26.** ¿Cómo era el mundo
cuando empezaba a ser mundo? [306]. **27.** Pompas fúnebres
[307]. **28.** Receta para tranquilizar a los lectores [308]. **29.** Un
precedente peligroso [309]. **30.** Día de los traductores [310].

Octubre   311
1. La isla vaciada [313]. **2.** Este mundo enamorado de la
muerte [314]. **3.** Para rizar el rizo [315]. **4.** Día de los animales
[316]. **5.** El último viaje de Colón [317]. **6.** Los últimos viajes
de Cortés [318]. **7.** Los últimos viajes de Pizarro [319].
8. Los tres [320]. **9.** Yo lo vi que me veía [321]. **10.** El Padrino
[322]. **11.** La dama que atravesó tres siglos [323].
12. El Descubrimiento [324]. **13.** Los robots alados [325].
14. Una derrota de la Civilización [326]. **15.** Sin maíz no hay
país [327]. **16.** Él creyó que la justicia era justa [328].
17. Guerras calladas [329]. **18.** Las mujeres son personas
[330]. **19.** Invisibles [331]. **20.** El profeta Yale [332].
21. Estallaos los unos a los otros [333]. **22.** Día de la medicina
natural [334]. **23.** Cantar [335]. **24.** Ver [336]. **25.** Hombre
porfiado [337]. **26.** Guerra a favor de las drogas [338].
27. Guerra contra las drogas [339]. **28.** Las locuras de Simón [340].
29. Hombre de buen corazón [341]. **30.** ¡Se vienen los marcianos!
[342]. **31.** Los abuelos de las caricaturas políticas [343].

Noviembre   345
1. Cuidado con los bichos [347]. **2.** Día de los difuntos [348].
3. La guillotina [349]. **4.** El suicidio de Tenochtitlán [350].
5. Una enfermedad llamada trabajo [351]. **6.** El rey que no
fue [352]. **7.** Sueños [353]. **8.** Inmigrantes legales [354].
9. Prohibido pasar [355]. **10.** Día de la ciencia [356].

11. Fiódor Dostoievski nació dos veces [357]. **12.** No me gusta que me mientan [358]. **13.** El papá de Moby Dick [359]. **14.** La mamá de las periodistas [360]. **15.** Hugo Blanco nació dos veces [361]. **16.** Un averiguador de la vida [362]. **17.** El otro oído [363]. **18.** El Zorro nació cuatro veces [364]. **19.** El musgo y la piedra [365]. **20.** Niños que dicen [366]. **21.** El partido más triste de la historia [367]. **22.** Día de la música [368]. **23.** Abuelo [369]. **24.** Abuela [370]. **25.** Día contra la violencia doméstica [371]. **26.** Laura y Paul [372]. **27.** Cuando ardieron las aguas de Río de Janeiro [373]. **28.** El hombre que enseñaba aprendiendo [374]. **29.** Campeonato mundial del terror [375]. **30.** Cita en el Paraíso [376].

Diciembre 377

1. Adiós a las armas [379]. **2.** Día contra la esclavitud [380]. **3.** El rey que dijo basta [381]. **4.** Memoria verde [382]. **5.** La voluntad de belleza [383]. **6.** Una lección de teatro [384]. **7.** El arte no tiene edad [385]. **8.** El arte de las neuronas [386]. **9.** El arte de vivir [387]. **10.** Bendita guerra [388]. **11.** El poeta que era una multitud [389]. **12.** Tonantzin se llama Guadalupe [390]. **13.** Día del canto coral [391]. **14.** El fraile que se fugó siete veces [392]. **15.** Hombre verde [393]. **16.** Combata la pobreza: maquille los números [394]. **17.** La llamita [395]. **18.** Los primeros exiliados [396]. **19.** Otra exiliada [397]. **20.** El encuentro [398]. **21.** La alegría de decir [399]. **22.** La alegría de volar [400]. **23.** Resurrecciones [401]. **24.** ¡Milagro! [402]. **25.** El viaje del sol [403]. **26.** El viaje al mar [404]. **27.** El viajero [405]. **28.** Nostalgia del futuro [406]. **29.** El camino es el destino [407]. **30.** De música somos [408]. **31.** El viaje de la palabra [409].

Índice de nombres 411

431

Títulos publicados
Biblioteca Eduardo Galeano

Las venas abiertas de América Latina

Las venas abiertas de América Latina ha sido traducida a dieciocho lenguas y ha tenido una vasta difusión en el mundo de habla hispana desde que en 1971 se publicase la primera edición. En la obra el autor analiza la historia de América Latina de modo global desde la colonización europea hasta la América Latina contemporánea, argumentando con crónicas y narraciones el constante saqueo de los recursos naturales de la región por parte de los imperios coloniales, entre los siglos XVI y XIX, y los Estados imperialistas, el Reino Unido y los Estados Unidos principalmente, desde el siglo XIX en adelante.

978-84-323-1145-1
379 pp.

Vagamundo y otros relatos

Si algo caracteriza a *Vagamundo* es que presenta al Galeano cuentista, en donde los personajes de estos artículos y cuentos atraviesan las historias y temáticas que aborda el escritor. Estos relatos breves, escritos y publicados hace casi cuarenta años, fundaron el estilo narrativo que haría inconfundible, en los libros siguientes, la obra de Eduardo Galeano.

978-84-323-1191-8
238 pp.

La canción de nosotros

En esta obra el autor evoca su tierra prohibida, y la recrea a través de las aventuras que en sus páginas se entrecruzan, sobre el trasfondo de la dictadura militar, en el tiempo de los horrores y los desafíos. Por esta obra le fue otorgado el premio Casa de las Américas en 1975.

978-84-323-1190-1
305 pp.

Días y noches de amor y de guerra

Traducida a las principales lenguas del mundo, esta obra aúna la sensibilidad histórica y la capacidad expresiva necesarias para rescatar del olvido la memoria de un continente asolado por la injusticia, la pobreza y la opresión. *Días y noches de amor y de guerra* habla de la vida cotidiana en los tiempos del fascismo, configurando una hermosa crónica de un periodo atroz, marcado por la violencia ejercida contra cualquier disidencia.

978-84-323-1206-9
319 pp.

Memorias del fuego. 1. Los nacimientos

Los nacimientos es el primer libro que abre una trilogía en la que Galeano hace repaso, con su particular narrativa, de la historia de América Latina. En este volumen el autor narra la historia de la América precolombina a través de los mitos indígenas de fundación, así como la que transcurre desde finales del siglo xv hasta el año 1700.

978-84-323-0440-8
361 pp.

Memorias del fuego. 2. Las caras y las máscaras

Las caras y las máscaras es el segundo volumen de la trilogía *Memorias del fuego*, en el que se narra la historia de América Latina comprendida entre los siglos XVIII y XIX.

978-84-323-0479-8
371 pp.

Memorias del fuego. 3. El siglo del viento

El siglo del viento es el tercer libro que forma parte de la trilogía *Memorias del fuego*, la cual cierra con la narración de la historia de la América Latina del siglo XX.

978-84-323-0581-8
371 pp.

El libro de los abrazos

La obra se compone de fragmentos, microrrelatos que, agrupados bajo diversas temáticas, abarcan desde curiosas narraciones sobre la creación del mundo hasta pequeñas ocurrencias, *graffiti* pintados como en una pared y anécdotas referidas a distintas ciudades americanas, reflexiones sobre el exilio que al autor le tocó vivir, historias narradas de boca en boca, diálogos con alguno que otro escritor latinoamericano. El compromiso político no puede estar ausente: algunos relatos ilustran realidades dolorosas que América Latina ha vivido y aún sigue viviendo.

978-84-323-0690-7
265 pp.

Nosotros decimos no

Una recopilación de los trabajos periodísticos y algunos discursos que Galeano desarrolló entre 1963 y 1988 cuyo título procede de las palabras que pronunció el autor en Santiago de Chile en el marco de la inauguración de unas jornadas. En él, Galeano se valió del plural para sostener ideas como: «Decimos no al elogio del dinero y de la muerte. A un sistema que pone precio a las cosas y a la gente, donde el que más tiene es el que más vale, y decimos no a un mundo que destina a las armas de guerra dos millones de dólares cada minuto mientras cada minuto mata treinta niños por hambre o enfermedad curable ... a un sistema que no da de comer ni da de amar, que a muchos condena al hambre de comida y a muchos más condena al hambre de abrazos».

978-84-323-0675-4
402 pp.

Ser como ellos y otros artículos

En la presente obra Galeano se plantea qué lugar ocupa la literatura en una sociedad en la que los niños de cinco años son ya ingenieros electrónicos. ¿Es el modo de vida de nuestro tiempo bueno para la gente, para la naturaleza y para la literatura como lo está siendo para la industria farmacéutica? Su respuesta es clara: depende del producto que se ofrezca, que ha de ser tranquilizante como el valium y brilloso y *light* como un *show* de la tele: que ayuda a no pensar con riesgo ni a sentir con locura, que evite los sueños peligrosos y que sobre todo evite la tentación de vivirlos... Pero Galeano no sabe escribir ese tipo de literatura.

978-84-323-0761-4
129 pp.

Las palabras andantes

«Los cuentos de la abuela» son la principal fuente de inspiración de *Las palabras andantes*. Galeano se adjudica a sí mismo el papel de cuentacuentos, en narraciones escritas en estilo sencillo, muy poético, en los que la naturaleza, los fenómenos atmosféricos, la magia, los animales, son los principales protagonistas.

978-84-323-0814-7
316 pp.

El fútbol a sol y sombra

Este libro rinde homenaje al fútbol y denuncia las estructuras de poder de uno de los negocios más lucrativos del mundo. Escribiendo este libro, el autor ha querido hacer con las manos lo que nunca pudo hacer con las piernas. Cuando era niño, Galeano quería ser jugador de fútbol, pero sólo jugaba bien, y hasta muy bien, mientras dormía. Está actualizado hasta el Mundial de Fútbol de 2010.

978-84-323-1485-8
312 pp.

Patas arriba
La escuela del mundo al revés

Hace ciento treinta años, después de visitar el País de las Maravillas, Alicia se metió en un espejo para descubrir el mundo al revés. Si Alicia renaciera en nuestros días, no necesitaría atravesar ningún espejo: le bastaría con asomarse a la ventana. Al fin del milenio, el mundo al revés está a la vista: es el mundo tal cual es, con la izquierda a la derecha, el ombligo en la espalda y la cabeza en los pies.

978-84-323-0974-8
365 pp.

Bocas del tiempo

Este libro ofrece una multitud de pequeñas historias que, juntas, cuentan una sola historia. Es una travesía por los temas más diversos: el amor, la infancia, el agua, la tierra, la palabra, la imagen, la música, el éxodo, el poder, el miedo, la guerra, la indignidad, la indignación, el vuelo... Sus protagonistas aparecen y se desvanecen para seguir viviendo, historia tras historia, en otros personajes que les dan continuidad. Tejidos por los hilos del tiempo, ellos son tiempo que dice: son bocas del tiempo.

978-84-323-1154-3
347 pp.

Espejos
Una historia casi universal

Galeano propone un viaje por el pasado desde un punto de vista inédito, el de aquellos que normalmente han sido olvidados por la historia oficial. Estructurado en relatos cortos, *Espejos* nos habla sobre todo de las mujeres, de los negros, y en general de todos aquellos que han sido explotados, maltratados y anulados como personas a lo largo de los siglos. Una lectura que nos invita a reflexionar, a descubrir una imagen nueva de la historia conocida, con la dureza que encierran esas historias trágicas que conforman el entramado de todo lo que nos ha precedido.

978-84-323-1314-1
365 pp.